I Grilli

Michael Walzer

Che cosa significa essere americani

a cura di Nadia Urbinati

Marsilio

Traduzione dall'inglese di Nadia Urbinati

ISBN 88-317-5511-0

Prima edizione: marzo 1992

Indice

Prefazione

di Nadia Urbinati

L'esperienza dell'emigrazione come evento storico e simbolico radicato nella memoria collettiva costituisce una delle fonti principali di ispirazione della filosofia politica di Michael Walzer. Nessun altro libro consente di intendere meglio questa peculiarità come *Esodo e rivoluzione*, una vibrante testimonianza delle radici sentimentali e storiche dell'idea-forza della differenza dalla quale riceve vigore e concretezza la sua filosofia democratica[1]. L'America, si legge nei saggi qui pubblicati, è una nazione di immigrati. Qui sta la sua eccezionalità. Nel corso del suo svolgimento, l'esperienza dell'emigrazione – come quella dell'esodo del popolo ebraico – passa attraverso due momenti fondamentali rappresentabili dalle allegorie della caduta e della rinascita a nuova vita. In *The Uprooted*, uno dei testi classici sulla storia dell'immigrazione americana, Oscar Handlin ha descritto questo cammino in maniera toccante[2]. Per anni, forse per il resto della loro vita, gli immigrati sono destinati a rimanere individui alienati. Alienati sia dalla cultura che hanno

---

[1] M. Walzer, *Esodo e rivoluzione*, Milano, Feltrinelli, 1986 (la prima edizione americana è del 1985).
[2] O. Handlin, *The Uprooted. The Epic Story of the Great Migrations that Made the American People*, Boston, Little Brown, 1952.

lasciato dietro di loro, sia da quella verso la quale vanno e che tuttavia ancora non li accoglie con amicizia e molto spesso non li capisce (e crede di non dover voler capire). Infine, scrive Walzer nel secondo di questi saggi, gli immigrati si sentono e si percepiscono come estranei anche a loro stessi. La loro è una condizione di alienazione e di oggettivazione perché il nuovo li cattura e li assorbe in modo quasi esclusivo non avendo essi la forza, l'autonomia, la dimestichezza necessarie per resistere o trattare. A questo stadio corrisponde la condizione di integrazione oggettiva che precede quella dell'articolazione descritta da Walzer nelle pagine introduttive. Giunti alla fine di questa china dolorosa, anche i legami familiari si indeboliscono, sia fra i gruppi di famiglie che compongono la comunità, sia all'interno dello stesso nucleo familiare. L'aspetto forse più tragico di questa condizione alienata consiste nel fatto che molto spesso l'immigrato scopre che anche i figli gli sono estranei, perché si adattano più facilmente e celermente di lui ai nuovi modi di vita. Forse, osserva Handlin, i giovani sono i primi a vedere la madre e il padre con «occhi americani», i primi – e certo più autorevoli – specchi della condizione di estraneità dei loro genitori.

A questo punto il ciclo dell'alienazione può dirsi compiuto. L'esperienza dell'emigrazione, però, non si conclude qui e non è solo una storia di perdita e di solitudine, ma anche di entusiasmi e di ricerca. Ai milioni di immigrati che non riescono a superare il senso del fallimento e dell'anonimia se ne affiancano altri che sopravvivono all'odissea e riescono a ritrovare in qualche modo una nuova identità nella famiglia e nella comunità. La rinascita conclude l'esodo. Essa si manifesta nella sensazione inconfondibile del «sentirsi a casa propria».

L'originalità della lettura di Walzer dell'identità americana si rivela a questo punto della storia, nel modo cioè di interpretare e di articolare la rinascita, l'essere americani. Originalità soprattutto rispetto ad un'altra versione dell'«eccezionalità americana», fortemente radicata nel senso comune e rappresentata dalla tradizione filosofica (generalmente riconosciuta come «americana») inaugurata nel secolo scorso da Ralf Waldo Emerson e da Walt Whitman. La cultura americana sarebbe in questo caso l'espressione più compiuta della cultura democratica – e quindi l'esito della storia moderna – e il cittadino americano l'espressione concreta dell'individualità democratica. Non è accidentale il fatto che questa dottrina abbia trovato la sua voce in America, dove l'individuo è diventato prima e più compiutamente che altrove il *centro morale*. L'America è il luogo mitico dove convergono gli sforzi fatti dall'umanità nel corso della sua storia per dare concretezza a questa idea, a partire dall'Atene di Pericle e dalla *renovatio* cristiana, fino alle concettualizzazioni eroiche e antisociali dei romantici tedeschi e inglesi. L'individuo sta con la democrazia in relazione dialettica: ne ha bisogno per esprimere le sue migliori potenzialità, ma deve sempre resisterle per non essere soffocato. Individualità e democrazia hanno bisogno l'una dell'altra perché insieme danno il meglio di sé mentre scongiurano le conseguenze sinistre di cui ciascuna sarebbe capace se lasciata sola. Due sono i risultati teorici di questa tradizione: l'idea della diversità è riferita agli individui, non alle tradizioni da cui essi provengono, le quali pertanto non costituiscono il nerbo della nazione americana; il radicale rifiuto dell'ideale repubblicano e quindi la «difesa» dell'individuo dal coinvolgimento nell'attività politica. La pratica della cittadinanza, scrive George

Kateb, non contribuisce allo sviluppo dell'individualità democratica, come non vi contribuisce l'appartenenza alla «tribù»[3]. Whitman sognava che «elementi» e «razze» si fondessero tra loro come in un «mondo di nuovo primordiale», che generassero «una nuova razza», «una nuova politica, nuove letterature e religioni, nuove invenzioni e arti»[4]. Questa nuova nazione avrebbe avuto una sua anima, viva in ciascuno dei suoi figli e delle sue figlie, gli «eroi» della democrazia «en-masse». La diversità era per lui – come per Emerson, il filosofo dell'individualità democratica – l'espressione degli individui, dei loro talenti: era diversità di mestieri e di gusti, di stili di vita e di emozioni; rinviava cioè all'anima individuale, non al gruppo di appartenenza. «Canto me stesso, e celebro me stesso, / E ciò che assumo voi dovete assumere / Perché ogni atomo che mi appartiene appartiene / anche a voi»[5]. Una diversità sprigionata dalla più radicale eguaglianza e dalla libertà degli individui che sono diversi non per «ceto», ovvero per tradizione, ma nell'attualità del loro presente. Ogni cittadino è la sua poesia, ogni «se stesso» è una creazione, le cui radici sono solo nella propria anima, non prima o al di là di essa. «Nazioni un tempo potenti, ora annientate, ristrette o / desolate, / Io non oso andar oltre se prima non ho riconosciuto, / con tutto il rispetto, quanto

[3] G. Kateb, *Democratic Individuality and the Claims of Politics*, in «Political Theory», XII, 1984, p. 337.

[4] W. Whitman, *Starting from Paumanok*, ora in Id., *Foglie d'erba*, con prefazione di G. Manganelli, Milano, Rizzoli, 1988, p. 95.

[5] Whitman, *Song of Myself*, in *Foglie d'erba*, cit., p. 101. Di R.W. Emerson si vedano in particolare: *The Fortune of the Republic* e *American Civilization*, in Id., *The Complete Writings of Ralph Waldo Emerson*, New York, Wm. H. Wise & Co., 1929, pp. 1185-95 e 1208-13; infine i saggi *Self-Reliance* e *Politics*, ora anche in versione italiana nel volume emersoniano, *Natura e altri saggi*, a cura di T. Pisanti, Milano, Rizzoli, 1990.

avete lasciato sparso / quaggiù; / L'ho esaminato attentamente, ... L'ho contemplato a lungo, intensamente, poi l'ho / messo da parte; / Io sto al mio posto con i miei giorni, qui»[6].

Walzer non condivide la pretesa dell'individualità democratica di stare senza alcun aggettivo, di non avere qualificazioni oltre quelle dategli dal singolo nel corso della sua esperienza di vita. Nessuno di noi, egli dice, può fare a meno della tribù, perché siamo esseri specifici e situati. Dunque, non un'America «sempre più compatta» come la cantava Whitman[7], ma un'«unione di unioni sociali» tenuta insieme dalla condivisione delle idee di tolleranza e di democrazia, come ripete Walzer con John Rawls. Non americani semplicemente, ma americani «col trattino». Gli Stati Uniti non solo sono, ma dovrebbero rimanere una «nazione di nazionalità». La «novità» di questa nazione sognata dai poeti è relativa: l'America è in effetti la testimonianza vivente e simultanea di tutti i popoli del mondo, una ricapitolazione delle differenze che compongono l'umanità. La sua *novità* sta nel saper dar voce contemporaneamente a queste molteplici *vecchiezze*: ecco la cacofonia, le stonature, l'originalità più spregiudicata mescolata al più scontato e inatteso tradizionalismo.

Definire l'americano come «americano col trattino» consente non soltanto di riconoscere la dimensione storica dell'identità, ma – e questo è ciò che più sta a cuore a Walzer – anche di reinterpretare e rinvigorire la stessa democrazia, la quale non è soltanto un sistema politico basato sui diritti individuali costi-

[6] Whitman, *Starting from Paumanok*, cit., p. 69.
[7] Whitman, *Songs of Parting*, in *Foglie d'erba*, cit., p. 465.

tuzionalmente garantiti, ma anche un sistema che si regge sulla partecipazione. Recuperando lo spirito della tradizione repubblicana e di quella socialista, Walzer avverte che più di ogni altro sistema politico la democrazia necessita di partecipazione. Ma come farla apparire attraente a cittadini cresciuti nella convinzione che il primo loro diritto sia quello di astenersi dal partecipare? È a questo punto che le etnie entrano in gioco e la comunità diventa importante, perché consente la crescita e il nutrimento di quei vincoli di solidarietà senza i quali la democrazia, e lo stesso sentimento di giustizia, non potrebbero sussistere.

Walzer non è un comunitario nel senso nel quale l'espressione è comunemente usata nella filosofia americana. Non lo è perché la sua revisione del liberalismo non parte da premesse metafisiche. Se Charles Taylor si pone il problema di derivare l'idea di giustizia da quella di bene, di fondare cioè la politica sulla metafisica, Walzer sulle orme di Rawls non rinuncia all'arte della separazione[8]. Non mette in discussione il secolarismo né tanto meno quello che costituisce il lascito storico più importante del liberalismo, i diritti individuali e la separazione tra sfera pubblica e sfera privata. La sua critica all'universalismo – meglio sarebbe dire all'astrattismo – è più coerente di quella dei comunitari perché è costruita su premesse storiche piuttosto che ontologiche. È questa la ragione per la quale egli non giunge mai ad assolutizzare il plurali-

---

[8] Rispettivamente, C. Taylor, *Cross-Purposes: The Liberal-Communitarian Debate*, in *Liberalism and the Moral Life*, a cura di Nancy L. Rosenblum, Cambridge (Mass.), Harvard University Press, 1989, pp. 159-61 e M. Walzer, *Liberalism and the Art of Separation*, in «Political Theory», XII, 1984, pp. 315-29.

smo: «Molti pluralisti sono di fatto pluralisti limitati, perché i limiti che difendono derivano da principi universali»[9]. La comunità non è dunque un'entità «naturale» come per gli aristotelici e nemmeno un'entità «etica» che determina l'identità individuale, come per gli hegeliani[10]. Essa è invece una realtà storica e culturale che può motivare l'impegno politico degli individui, soprattutto laddove, come negli Stati Uniti, non c'è uniformità nazionale, e dare vigore alla democrazia. Le garanzie liberali consentono alla politica della differenza di non degenerare nell'intolleranza e nella violenza, e agli individui di non essere semplicemente i prodotti del loro ambiente, ma soggetti che scelgono (anche se da un punto di vista sempre determinato, mai da una condizione neutra come è la «posizione originaria» immaginata da Rawls)[11]. Su questa scelta, su questo pronunciamento consapevole e libero si regge la comunità in una so

[9] M. Walzer, *Philosophy and Democracy*, in «Political Theory», IX, 1981, p. 394.

[10] M. Sandel, *Liberalism and the Limits of Justice*, New York-Cambridge, Cambridge University Press, 1986², pp. 150-53.

[11] La relazione fra identità individuale e comunità è complessa e non perfettamente compresa dal pensiero liberale. Il liberalismo, dice Walzer, esprime contemporaneamente tendenze associative e dissociative: i suoi protagonisti formano gruppi con la stessa facilità con la quale li sciolgono. Ma è un errore – ricorrente nel liberalismo – pensare che i modelli associativi siano esclusivamente il prodotto volontario e contrattuale di individui razionali. «In una società liberale, come in ogni altra società, le persone nascono all'interno di importanti tipi di gruppi, nascono con alcune identità, per esempio maschile e femminile, operaia, cattolica o ebraica, nera, democratica e così via». Molte delle associazioni scelte dagli individui nel corso della loro esperienza di vita non possono prescindere da queste identità sottostanti, anche se spesso gli individui cercano volontariamente di costruirsi identità radicalmente nuove. La storia è sì una produzione umana, ma nel senso che gli individui costruiscono a partire da una base esistente, già lì, lasciata da coloro che li hanno preceduti; Walzer, *The Communitarian Critique of Liberalism*, in «Political Theory», XVIII, 1990, p. 15.

cietà liberale. Come si legge nel secondo dei saggi qui presentati, «la sopravvivenza e la crescita dei gruppi dipende largamente dalla vitalità dei loro *centri*», una vitalità che non può «essere tenuta in vita artificialmente» dallo Stato.

Con la difesa del *pluralismo* e della *politica della differenza* Walzer precisa la sua posizione anche nei confronti dei liberali egualitari. In *Philosophy and Democracy*, uscito su «Political Theory» dieci anni fa, Walzer si interrogava sul ruolo del filosofo nella società democratica, respingendo l'idea di derivazione illuministica secondo la quale il filosofo non appartiene a nessuna specifica comunità perché è l'interprete dell'universalità della ragione, la quale, diceva Voltaire, è la stessa ovunque, a Parigi come a Pechino. Se Walzer non si schiera con i liberali egualitari seguaci di John Rawls è perché ritiene che la giustizia sia una costruzione politica dei cittadini, non il frutto dell'applicazione di principi generali[12]. La critica all'universalismo dei filosofi è dunque fatta in nome della partecipazione democratica e per riportare in primo piano l'impegno politico. Questo è il tema centrale dell'ultimo di questi saggi e la ragione della sua preferenza per una politica democratica e socialista «in costante tensione» con il liberalismo.

Se per i teorici liberali dello stato sociale gli interlocutori sono principalmente gli amministratori e i governi, per i democratici come Walzer sono i cittadini, le comunità, i partiti, le associazioni, in altre parole la società civile. Nel primo caso, ha osservato Sheldon

---

[12] Le differenze fra i *committed democrats* (tra i quali è appunto Walzer) e i *liberal egalitarians* sono discusse da A. Gutmann, *How Liberal is Democracy?*, in *Liberalism Reconsidered*, a cura di D. MacLean e C. Mills, Totowa, Rowman & Allanheld, 1983, pp. 25-50.

Wolin, perché si attuino politiche di giustizia non è necessario che i cittadini nutrano forti sentimenti di giustizia o che si interessino delle questioni pubbliche[13]. La composizione della «lista dei beni» da dividersi equamente fra i membri della società, ha scritto Walzer in *Sfere di giustizia*, non può essere fatta a prescindere dal significato sociale che quei beni hanno per i cittadini e che ne legittimano la richiesta[14]. Se la «lista dei beni» è una costruzione sociale, allora il *welfare state* non può avere una ricetta universale. Assumere il pluralismo come prospettiva politica, spiega Walzer nel secondo dei saggi qui pubblicati, significa ammettere che le soluzioni pratiche variano in relazione al carattere della società. Qualora si tratti di una società multietnica come quella americana, per esempio, le politiche di giustizia possono essere gestite dallo Stato e dai governi locali, ma anche dalle stesse comunità, dando vita ad una sorta di «*welfare society* all'interno del *welfare state*»[15].

Filosofia e democrazia parlano due linguaggi diversi: la prima non tollera la «libertà di scelta»; la seconda la esige. «Nel mondo dell'opinione, la verità non è che un'altra opinione, e il filosofo è solo un altro elabora-

[13] In questo senso, il *welfare state* sarebbe una moderna versione della ragion di stato applicata alla politica interna: il suo scopo principale sarebbe infatti quello di integrare e razionalizzare la società civile, stimolando una mentalità statalistica più che una mentalità democratica: S.S. Wolin, *Democracy and the Welfare State. The Political and Theoretical Connection between Staatsräson and Wholfahrtsstaatsräson*, in «Political Theory», xv, 1987, p. 268.

[14] M. Walzer, *Sfere di giustizia*, Milano, Feltrinelli, 1987 (la prima edizione americana è del 1983); J. Rawls, *Una teoria della giustizia*, a cura di S. Maffettone, Milano, Feltrinelli, 1982 (la prima edizione americana è del 1971).

[15] Walzer, *The Communitarian Critique of Liberalism*, cit., p. 17 e *Justice Here and Now*, in *Justice and Equality Here and Now*, a cura di Frank S. Lucash, Ithaca-Londra, Cornell University Press, 1986, p. 141.

tore di opinioni» [16]. Non si tratta di fare a meno della filosofia, come ha proposto Richard Rorty estremizzando questo pensiero di Walzer, ma certo non si dovrebbe assegnare al filosofo il compito di dare forma alla società (soprattutto se si tratta della società democratica), un compito che è invece solo degli uomini e delle donne che la abitano. «Le verità scoperte o rivelate dai filosofi politici si possono realizzare. Esse si prestano immediatamente ad essere incarnate nelle leggi. Si tratta di leggi di natura? Le si decretino. Si tratta di uno schema di giustizia distributiva? Lo si stabilisca» [17]. Ma, si chiede Amy Gutmann, una società egualitaria conforme ad un modello può essere realizzata senza la partecipazione politica? [18] La risposta di Walzer è ovviamente no. Egli menziona non a caso John Stuart Mill, il primo teorico politico che ha compreso la necessità di correggere la tradizione liberale con quella democratica e ha interpretato la partecipazione politica come scuola di virtù civili e di sentimenti solidaristici.

Da questo concetto prende le mosse il revisionismo di Walzer, che tuttavia corregge e completa la strategia milliana affiancando all'individuo un altro soggetto, le comunità etniche e religiose. È un aggiustamento importante perché mette in primo piano la società civile ed estende il ruolo della partecipazione oltre la politica: non si tratta di avere cittadini a pieno tempo, ma individui che tra le altre fonti di soddisfazione possono includere l'interesse per la cosa pubblica. La preferenza di Walzer va dunque a un tipo di Stato che «è libe-

---

[16] *Philosophy and Democracy*, cit., p. 397.
[17] *Ibid.*, pp. 382-83.
[18] *Liberal Equality*, Cambridge, Cambridge University Press, 1980, p. 174.

rale e pluralistico più che repubblicano», anche se alla cittadinanza è riconosciuta «una certa preminenza pratica fra tutte le nostre reali e possibili appartenenze» [19].

La politica della differenza costituisce una delle sfide del nostro tempo. La democrazia è principalmente una politica che divide e frantuma. Data la loro origine recente e il loro carattere di nazione di immigrati, negli Stati Uniti questo fenomeno è dominante tanto nella società civile che in quella politica. La neutralità della cittadinanza costituisce l'unica colla che tiene insieme questo universo composito. Ma come tenere insieme, democraticamente, le differenze in quelle realtà dove la politica segue la nazionalità, dove non è mai stato necessario essere cittadini e basta, dove si è, invece, cittadini italiani, cittadini polacchi, cittadini tedeschi e così via? La sfida della politica della differenza è una sfida alle nostre società europee, dove le nazionalità hanno stabili basi geopolitiche e dove la pluralità e le differenze si sono generalmente manifestate come articolazioni interne a una riconosciuta omogeneità culturale. Da Walzer vengono due proposte: riconoscimento e rispetto dei diritti delle minoranze e delega alle comunità di alcuni settori assistenziali finora gestiti dallo Stato. Del resto, la massima «*welfare society* all'interno del *welfare state*» non è che l'esito di una coerente estensione dei valori liberali e di quelli democratici che generano pluralismo e mirano a contenere il ruolo dello Stato, una delle «unioni» (certo necessaria) di cui si compone l'«unione sociale», ma non la più importante. L'associazionismo volontario consentirà agli

---

[19] M. Walzer, *The Idea of Civil Society*, in «Dissent», primavera 1991, pp. 302 e 298.

uomini e alle donne di esprimere la loro cittadinanza e insieme la loro specifica appartenenza di gruppo, di partecipare direttamente – come membri di un partito, di un sindacato, di un'organizzazione assistenziale, e così via – alla vita della società senza bisogno di essere cittadini, militanti, virtuosi a tempo pieno. Nelle nostre società democratiche e sempre più pluralistiche questa forse può essere la via più praticabile per fare della differenza una ragione di dialogo e di arricchimento.

Princeton, marzo 1992

N.U.

Che cosa significa essere americani

Introduzione

I tre saggi raccolti in questo volumetto trattano della politica della differenza negli Stati Uniti. Quando li ho scritti ero interessato principalmente alle differenze etniche e religiose. Le più complesse questioni della classe, del sesso e della razza vi compaiono solo marginalmente. (Su questi argomenti ho scritto altrove, ma con spirito diverso, senza riferimento all'idea della differenza). La differenza culturale e la tolleranza religiosa sono storie di successi americani, almeno se paragonate alle continue e vergognose diseguaglianze connesse, e per importanti versi attribuibili, al capitalismo, al sessismo e al razzismo. Nella misura in cui gli Stati Uniti sono una società di immigrati *volontari* – con l'eccezione tuttavia degli indiani, che furono conquistati, e dei neri che furono portati qui con la forza – sono una delle migliori società del mondo: aperta, pluralista, e (almeno relativamente) egualitaria. I saggi che seguono descrivono le condizioni di questa conquista e alcuni suoi aspetti caratteristici.

In questa introduzione, il mio obiettivo è invece più generale: vorrei fare un resoconto comparativo e teorico della politica della differenza e suggerire come questa politica potrebbe operare in strutture sociali dove l'immigrazione non è, o non è ancora, il fattore principale come negli Stati Uniti. Ciò che nell'Europa centrale e orientale può essere definito come un «nuovo tribalismo» (benché esso sia anche molto antico e non senza paralleli nell'Europa occidentale) costituisce l'occasione immediata del mio argomento. Infine, vorrei anche cercare di dire qualche cosa sui modi che potrebbero, o non potrebbero fare della Comunità Europea gli «Stati Uniti d'Europa».

Esaminata nel corso del tempo, la politica della differenza registra tre momenti che propongo di chiamare rispettivamente dell'articolazione, della negoziazione e dell'incorporazione. La sequenza non è in alcun modo necessaria. Si può immaginare il primo momento senza il secondo e il terzo, o con un differente secondo e terzo: per esempio, articolazione, conflitto e permanente divisione. E ciò può essere vero anche per gli Stati Uniti, dove l'«incorporazione» insieme comincia e conclude la sequenza – infatti, la naturalizzazione degli immigrati (che possono diventare cittadini dopo cinque anni di residenza) precede la scoperta delle loro «radici» collettive e la creazione di un pluralismo di gruppi e di culture. Tuttavia, i tre momenti hanno una certa logica normativa. Se non sono un riassunto letterale della nostra esperienza, sono quanto meno un'espressione delle nostre speranze.

1) *Articolazione*. La politica della differenza comincia quando un gruppo di persone, prima invisibile, represso e impaurito, insiste nell'affermare il suo valore come gruppo e la solidarietà fra i suoi membri, e chiede una qualche forma di riconoscimento pubblico. Molto spesso, questi gruppi si comportano in questo modo in risposta a uno sforzo, promosso dall'esterno ma spesso appoggiato anche dall'interno, che tende ad assorbirli in questa o quell'altra più lar-

ga entità. La russificazione zarista o il *melting pot* americano sono ovvi esempi di sforzi di questo tipo. Ma ha senso includere tra questi sforzi anche i più universalisti programmi dei partiti della sinistra, tesi a trascendere tutte le identità particolari. Infatti, ciò che viene articolato in questo primo momento è proprio la svalutazione del parrocchialismo di un determinato gruppo. E lo scopo dell'articolazione è quello di respingere tanto la trascendenza universalistica quanto il dominio del particolarismo. La questione non consiste semplicemente nel fatto che i latvii non vogliono essere né russi né sovietici, ma, più in generale, nel fatto che non vogliono neppure essere – almeno per il momento – cittadini *globali*. Vogliono invece affermare la loro identità latvia e chiedono il diritto politico di proteggere e rafforzare questa identità. (In maniera simile, i movimenti femministi non vogliono ricreare le donne secondo l'immagine maschile; nemmeno vogliono – almeno per il momento – essere parte di un'umanità asessuata. Vogliono affermare il valore della loro esperienza e della loro sensibilità).

L'articolazione ha un significato letterale: dà voce alla differenza. E una volta che la differenza è stata espressa in questa forma affermativa e auto-affermativa, essa non può essere più a lungo negata, abolita, assimilata o trascesa. È semplicemente *lì*, come un aspetto del mondo sociale e da ora in avanti ogni rifiuto a riconoscerla sarà identificato come un atto di oppressione. Ma che suono avranno tutte queste nuove voci? Probabilmente un suono più cacofonico che armonico. Infatti, la multi-etnicità e il multi-culturalismo al loro apparire sono cacofonie aspre e stridenti, esattamente come la dissidenza del dissenso protestante nel xvi e nel xvii secolo. Si tratta di un gran numero di gruppi repressi, le cui richieste sono spesso radicalmente contraddittorie e difficili da decifrare. Il processo di decifrazione designa il secondo momento della politica della differenza.

2) *Negoziazione.* È sempre sorprendente vedere gruppi repressi che non riescono a riconoscere la categoria generale dalla quale sono appena fuggiti. Ripetutamente, essi agiscono come se fossero le uniche o le ultime vittime della repressione, e la loro richiesta di diritti e di riconoscimento restringe i diritti e il riconoscimento dei gruppi che verranno dopo, di quelli che stanno loro accanto o delle minoranze esistenti al loro interno. Suppongo che sia questo il tipo di comportamento che si dice umano, troppo umano. Per questa ragione, per quanto liberatoria sia l'articolazione della differenza, essa è anche molto pericolosa. Così inizia una lunga e difficile negoziazione, attraverso la quale ciascun gruppo giunge a riconoscere che i suoi limiti sono stabiliti dalla legittimità degli «altri». Questi limiti assumono molte forme diverse. Nella società internazionale, essi sono molto spesso esemplificati dalle frontiere. Nella società nazionale, da un uso soggetto a limitazioni delle risorse pubbliche (come il «muro» americano fra Chiesa e Stato) o della rappresentazione delle credenze dei gruppi nelle funzioni civiche o nella linea politica dello Stato.

Lo scopo delle limitazioni è quello di rendere possibile la convivenza pacifica in una società di nazioni o in una società civile pluralistica – una «unione sociale di unioni sociali», per usare l'espressione del filosofo americano John Rawls. Ma è anche la speranza, non sempre chiara nella mente dei negoziatori, che il processo di negoziazione darà luogo a una condivisione di impegno per la tolleranza, l'eguaglianza e il mutuo soccorso. Il fatto che il processo vada avanti, probabilmente all'infinito, sta a testimoniare il carattere della società internazionale e di quella civile: entrambe sono regni della frammentazione. E più riuscita sarà l'articolazione della differenza, più questi regni saranno frammentati. Ma i frammenti non sono né moralmente né materialmente autosufficienti. Così le negoziazioni che ne stabiliscono i confini consentono anche di esplorare la possibilità di attraversamento dei confini stessi. Esse tirano, per così dire, delle linee sulla mappa della società e poi cercano di trasformarle in linee tratteggiate, così da incorporare la differenza in una qualche unità più ampia.

3) *Incorporazione*. Le vecchie e ingiuste incorporazioni precedono la politica della differenza e la rendono necessaria. In altre parole, gli imperi incorporano nazioni in stato di cattività; gli *establishments* religiosi o culturali dominano e tendono ad assimilare i gruppi minoritari. L'articolazione frantuma questi antichi modelli e la negoziazione li sostituisce con i loro pezzi liberati e dissociati. Ma la sostituzione non durerà a lungo se i diversi pezzi non sono rimessi insieme in qualche modo. Essi hanno bisogno di cooperazione economica e di appoggio politico. Per questo, se il processo di negoziazione procede bene, esso col tempo tenderà ad ampliare i propri orizzonti, a espandersi, nella società internazionale, verso le zone franche, le unioni economiche, i blocchi politici e le federazioni e, nella società nazionale, verso il pluralismo religioso e culturale, l'autonomia regionale e la rappresentanza dei gruppi, la difesa delle pari opportunità e nuove forme di cittadinanza. Almeno idealmente, questi sono modi non-repressivi di incorporazione – modi diversi per situazioni diverse. Sarebbe strano se la politica della differenza portasse a qualche risultato univoco ed uniforme.

In realtà, non possiamo identificare o descrivere un esito simile, nemmeno in termini ideali. Ciò che abbiamo asserito a proposito del primo momento rimane valido anche per il terzo: non è possibile trascendere la particolarità culturale, religiosa e nazionale. Non c'è nessuna formazione sociale «più elevata» del gruppo locale, nessun universalismo storicamente necessario oltre il nuovo universo articolato della differenza. Ci sono più ampie e più inclusive formazioni e identità sociali – esse stesse di tipo diverso – e queste meritano certamente di essere valorizzate e difese. Ma dobbiamo difenderle senza alcun riferimento metafisico o meta-storico. Il nostro migliore argomento non potrà che essere secolare, pragmatico e senza conclusioni definitive. Le nostre differenze troveranno anche espressione negli schemi che sceglieremo per incorporare le differenze.

Vorrei mettere l'accento sul fatto che il processo di incorporazione può cominciare solo dopo che ci siamo riappacificati con tutti i gruppi neo-liberati. Non è necessario che la pace sia acritica; nemmeno che i suoi termini siano gli stessi per i diversi gruppi. Possiamo giudicare il loro carattere e la loro condotta. Tuttavia, oggi non c'è nessun modo democratico di opporsi alla politica della differenza. La frammentazione è, almeno per ora, il tramite della democrazia. Questo si può vedere ancora più chiaramente nell'Europa dell'Est, dove l'azione di resistenza alla tirannia, anche la più passiva e la più recalcitrante ed evasiva che ha scalzato i regimi stalinisti, è stata alimentata in gran parte da passioni particolaristiche. Queste passioni dovranno essere frenate se la politica della differenza dovrà portare a un esito democratico. Ma non possono essere legittimamente frenate a meno che non siano, anche, parzialmente soddisfatte.

Il problema cruciale della politica della differenza è di situare e di contenere la differenza all'interno di una qualche struttura politica più comprensiva. Questa struttura può prendere una varietà di forme, in ragione delle radici storiche e del carattere sociale della differenza in questione. Descriverò due di queste probabili forme, una delle quali costituisce l'argomento di questo volume, mentre l'altra sarà tratteggiata solo brevemente, con lo scopo di consentire la comparazione con la prima.

La prima forma si adatta al caso degli Stati Uniti, benché si ripeta con numerose varianti in tutte le società di immigrati delle Americhe e del Pacifico (Canada, Brasile, Nuova Zelanda ecc.). L'elemento critico è qui costituito dalla dispersione territoriale delle «tribù» di immigrati – gruppi etnici e nazionali, razze, comunità religiose. Con l'eccezione degli schiavi neri, gli immigrati arrivarono negli Stati Uniti uno dopo l'altro, o famiglia dopo famiglia, e benché cercassero con forza di vivere in quartieri segregati (e spesso vi furono chiusi dentro) essi evitarono segregazioni più larghe spostandosi frequentemente per il paese e creando città e Stati radicalmente misti. Per questa ragione, nessun gruppo fu capace di determinare in maniera decisiva nemmeno il carattere del governo locale. In senso generale, la cultura politica del paese nel suo insieme fu inglese e protestante, ma questa cultura non fu mai fermamente stabilita né nei simboli né nella sostanza della legge e della politica. Né i gruppi di immigrati furono assimilati dalla cultura dominante. In gradi diversi, questi gruppi resistettero e difesero identità culturali separate e gli Stati Uniti presero la forma di una «nazione di nazionalità» (l'espressione, coniata negli anni dieci di questo secolo, è di un difensore del pluralismo, Horace Kallen, un teorico politico ebreo-americano).

Contemporaneamente, tutti gli immigrati diventarono cittadini e in questo senso, molto importante, «americani». Gli Stati Uniti sono una nazione politica di nazionalità culturali. La cittadinanza è autonoma da ogni sorta di particolarismo: dal punto di vista nazionale, etnico, razziale e religioso, lo Stato è neutrale. Questo è vero almeno in linea di principio e ogniqualvolta la neutralità è violata, è verosimile che si abbia una battaglia di principio contro quella violazione. L'espressione della differenza è confinata nella sfera della società civile, dove le varie «nazionalità» hanno dato vita a uno straordinario dispiegamento di organizzazioni per il culto religioso, per l'assistenza, l'educazione, la cultura e la mutua protezione. Si tratta del risultato di un grande impiego di energie – energie che in altre società sono convogliate nella vita politica. Il risultato è una società civile aperta, vivace e conflittuale e una cittadinanza non molto forte.

La difficile questione – molto dibattuta nell'America di oggi – è quale sia il giusto equilibrio sociale e politico in una società pluralista. In uno dei saggi qui presentati difendo un'idea di cittadinanza americana molto più forte, una comunità politica di uomini e di donne impegnati e attivi. L'argomento può essere così formulato: negli Stati Uniti l'articolazione della differenza (si pensi, per esempio, al «multi-culturalismo» contemporaneo) è andata tanto avanti da rendere progressivamente problematica la negoziazione della differenza. L'esito politico risulta essere molto simile a un gioco a somma zero nel quale le richieste di un gruppo possono essere sostenute solo a spese di un altro o di altri gruppi. Il senso del bene comune è troppo debole. Eppure tutti i gruppi, proprio a causa della loro dispersione e della loro mescolanza, condividono uno spazio politico comune, la cui sicurezza, bellezza, tenuta e accessibilità sono valori collettivi. Solo i cittadini possono difendere questi valori, e solo cittadini che partecipano alla vita politica saranno pienamente capaci di una tale difesa; cittadini coinvolti e sufficientemente competenti da far sì che quella politica abbia successo. Più forti sono le identità particolaristiche degli uomini e delle donne americani, più forte deve essere la loro cittadinanza. Poiché, anche se gli individui saranno divisi (*hyphenated*, «col trattino»), la nazione di nazionalità, l'unione sociale di unioni sociali, rimarrà unita.

È probabile che l'incorporazione politica prenda una forma diversa in altre (o fra altre) più vecchie società, dove i cittadini non sono immigrati o, almeno, non sono immigrati recenti. Dove, al contrario, essi si sono uniti a formare comunità antiche durature, basate su un forte senso del territorio. Certo, comunità di questo tipo hanno le loro differenze interne (sociali e ideologiche), e non è completamente vero che nei loro paesi non ci siano minoranze etniche, razziali o religiose. Ma ovunque ci sia una maggioranza stabilitasi più anticamente, la politica è obbligata a seguire la storia e la cultura di quella maggioranza e, solo in un secondo tempo, a concedere qualche cosa alle sue particolarità – come nel caso, per esempio, di uno Stato-nazione come la Polonia, o di una repubblica religiosa come l'Iran. Non c'è nulla di necessariamente ingiusto nella connessione fra nazionalità o fede da una parte e istituzioni e pratiche politiche dall'altra, almeno fino a quando i diritti di cittadinanza sono pienamente riconosciuti a tutti i membri di questi Stati. A dispetto di quanto ha scritto Rousseau nella sua *Costituzione della Polonia*, non è necessario sentirsi *niente più* che un polacco per essere un cittadino polacco leale. E questo è vero anche se il significato della cittadinanza è in buona parte determinato dall'esperienza storica dei polacchi e in parte espresso nei simboli ricavati da quella esperienza.

Ma l'inclusione di stranieri è ovviamente più difficile nei paesi governati da un'antica maggioranza che in quelli fondati e governati da immigrati. Forse, i paesi del primo tipo possono imitare quelli del secondo, facendo posto agli stranieri nella società civile (e ciò è più facile quando l'economia è in espansione e i tempi sono migliori). La politica, comunque, ha molto peso nella vita quotidiana se è connessa alla nazionalità e alla religione – e se è rafforzata dalle sue connessioni. La maggior parte di lavoro necessario nelle aree del *welfare*, dell'educazione e della cultura, sarà fatto in e attraverso lo Stato-nazione. Le associazioni secondarie è prevedibile che diventino meno importanti (il mio termine di confronto sono ancora gli Stati Uniti). Si potrebbe, al contrario, voler alterare la bilancia in favore della società civile. Ma anche in questo caso sarebbe necessario insistere sull'accessibilità dello spazio politico a tutti gli uomini e le donne – minoranze, rifugiati, lavoratori ospiti – che vivono all'interno delle frontiere. Questi potrebbero scegliere di essere attivi più nei loro gruppi etnici o nelle loro associazioni religiose che negli spazi offerti dallo Stato, ma questa dovrebbe essere il più possibile una vera libera scelta. Tuttavia, l'argomento si applica solo ai residenti e ciò chiama in causa un'altra questione: a chi deve essere concessa la residenza, chi dovrebbe vivere *qui, fra noi*?

L'immigrazione costituisce un vero problema nei paesi con antiche maggioranze etniche, non invece – o così non dovrebbe essere – nelle società di immigrati. Infatti i membri della nazione o della religione maggioritaria non vorranno essere messi in minoranza nel loro proprio paese. Essi tratteranno gli immigrati più o meno come se stessi solo se accetteranno di mescolarsi alla cultura esistente. I discorsi sull'immigrazione presentano regolarmente caratteri xenofobici o razzisti. Ma questo non è necessariamente il carattere di ogni discorso in favore delle restrizioni nell'accettazione di stranieri. Possiamo saggiare le opinioni di coloro che difendono le restrizioni chiedendo loro come intendono trattare quegli stranieri già ammessi e in che modo vogliono rapportarsi a quei paesi dai quali vengono gli immigrati: sono disposti a sostenere la cooperazione politica e l'assistenza economica? Gli americani estendono la loro solidarietà accettando nuove nazioni nel loro Stato (slavi, italiani e ebrei tra la fine dell'Ottocento e gli inizi del Novecento, sudamericani e asiatici oggi). Gli europei sono più propensi a estendere la loro solidarietà formando unioni economiche o federazioni politiche con altri Stati-nazione. Nel primo caso la politica della differenza produce nuove identità col trattino (asiatici-americani) al posto delle vecchie singolarità. Nel secondo caso, la politica della differenza produce una nuova identità singolare (gli europei) in aggiunta a quella vecchia. Ma è importante sottolineare che gli Stati Uniti non sono un'unione di Stati ma di nazioni, di razze, di religioni, tutte disperse e mescolate, senza territori loro propri. La Comunità Europea è (o sta per diventare) una specie di «Stati Uniti» nel senso più letterale, cioè precisamente un'unione di Stati – o di nazioni che hanno i loro propri territori. In questi Stati l'immigrazione – come anche l'esistenza di minoranze nazionali e religiose – produce qualcosa di simile a una società americana. Ma il contrasto fondamentale fra l'Europa e l'America è destinato a rimanere: possiamo pensarlo come una sorta di contrasto fra differenze con una base territoriale e differenze senza una base territoriale. Nei due casi si richiede una diversa negoziazione, che a sua volta produce diversi tipi di unione. Tuttavia, entrambi riflettono un comune imperativo morale e politico.

In nessuno dei due casi si può cancellare la storia o soppiantare le identificazioni parrocchiali. I due casi rappresentano due modi diversi (non migliori o peggiori) di fare i conti con la differenza. Il soggiacente principio morale, comune ad entrambi, è che bisogna adattarsi alla differenza. La forma di questo adattamento deve essere ricavata politicamente, quando le differenze si articolano, si negoziano e vengono incorporate. Nel caso dell'Europa, specialmente dell'Europa dell'Est, è molto probabile che le vecchie unità (come accade oggi per la Jugoslavia e l'Unione Sovietica) si frantumino prima che nuove incorporazioni siano raggiunte. E la frantumazione provocherà tensioni, sarà difficile, forse anche sanguinosa. Guardando questi casi, o partecipando alle loro vicende, possiamo forse sentire nostalgia per la politica imperiale (e perfino per quella totalitaria) che ha preceduto la politica della differenza. Qualcuno potrebbe chiedersi che cosa si guadagna dall'articolazione della differenza se la sua negoziazione è soggetta a continue cadute e regressioni verso una forma di diplomazia armata o verso una guerra non dichiarata. Ma la repressione della differenza ha avuto le sue peculiari brutalità, ed è stata necessariamente, per natura, anti-democratica. L'articolazione può essere l'inizio della democrazia, ma solo se siamo capaci di immaginare e di procedere verso una vita comune o meglio, verso una pluralità di vite comuni che abbraccino la differenza consentendole di esprimersi.

Princeton, febbraio 1992

14

1. Che cosa significa essere «americani»?[1]

Non esiste nessuna nazione chiamata America. Noi viviamo negli Stati Uniti *d'America* e ci siamo appropriati dell'aggettivo «americano» anche se non possiamo reclamare alcun diritto esclusivo su di esso. Anche i canadesi e i messicani sono americani, ma hanno aggettivi loro propri mentre noi non ne abbiamo. Termini come «unitario» o «unionista» sono inadeguati, perché la percezione che abbiamo di noi stessi non si esaurisce nel mero fatto della nostra unione, per quanto importante essa sia. Non fanno al caso nostro nemmeno «statalista» o «statalista unito»; una buona percentuale di cittadini degli Stati Uniti è infatti antistatalista. Altre nazioni, ha scritto il teorico politico «americano» Horace Kallen, prendono il loro nome dal popolo o da uno dei popoli che le abitano. «Gli Stati Uniti hanno invece una peculiare anonimia»[2]. Si tratta

---

[1] [«Morgan Lecture» tenuta al Dickinson College, Carlyle (Pennsylvania), nel 1989; ora in «Social Research», LVII, fasc. 3, 1990, pp. 591-614].

[2] H.M. Kallen, *Culture and Democracy in the United States*, New York, Boni & Liveright, 1924, p. 51. [Il nome di Kellen tornerà frequentemente nel corso di questi saggi. Nato in Germania e immigrato negli Stati Uniti da bambino, Horace Meyer Kallen (1882-1974) fu insieme a Israel Zangwill, 1864-1926 (anch'egli menzionato da Walzer) uno degli intellettuali più rappresentativi della comunità ebraica americana (e

15

di un nome che non pretende nemmeno di dire chi vi vive dentro. Chiunque può vivere qui, e·di fatto qui vivono uomini e donne di tutti i popoli del mondo. (La *Harvard Encyclopedia of American Ethnic Groups* inizia con acadiani e afgani e termina con zoroastriani)[3]. È particolarmente facile diventare americani. L'aggettivo non offre alcuna informazione sulle origini, le storie, le connessioni o le culture di coloro ai quali si riferisce. Ma cosa dice della loro lealtà politica?

Patriottismo e pluralismo

Periodicamente, i politici americani ingaggiano una disputa furiosa per dimostrare il loro patriottismo. Si tratta di una disputa strana, visto che in altre nazioni il patriottismo dei politici non costituisce un problema. I problemi sono altri, e quello dell'identificazione e dell'impegno politico emerge raramente; la lealtà alla patria, madre o padre che sia, è semplicemente assunta. Forse da noi non è assunta perché gli Stati Uniti non sono una *patria*. Gli americani non hanno mai parlato della loro terra in termini di madrepatria.

del movimento sionista). Studiò a Princeton e ad Harvard, fu tra i fondatori della New School for Social Research di New York e attivamente impegnato nella vita politica newyorkese. Fu seguace del pragmatismo e autore di numerosi libri tra i quali – oltre a quello menzionato da Walzer – sono da ricordare, *Art and Freedom* (1942), *The Education of Free Man* (1949), *Study of Liberty* (1959). Gli ebrei svolsero un ruolo importante nell'analisi della questione dell'etnicità e dell'identità americana. La loro strenua difesa del pluralismo culturale fu anche una risposta alle tendenze antisemitiche e xenofobiche assunte dai «nativisti» a partire dalla fine del secolo scorso (il Ku Klux Klan ne fu l'espressione politica più bellicosa) in concomitanza con l'immigrazione degli ebrei dall'Europa dell'Est (fra il 1870 e il 1914 arrivarono negli Stati Uniti 2 milioni di ebrei, 1 milione e 400 mila dei quali si stanziò a New York costituendo circa il 28% della popolazione)].

[3] *Harvard Encyclopedia of American Ethnic Groups*, a cura di S. Thernstrom, Cambridge (Mass.), The Belknap Press of Harvard University Press, 1980.

Quel tipo di lealtà naturale o organica, che a ragione o a torto riconosciamo nelle famiglie, non sembra essere una caratteristica della nostra politica. Quando i politici americani invocano la metafora della famiglia, generalmente lo fanno per richiamarci alle nostre responsabilità o ai nostri obblighi assistenziali, e tra gli americani questo è un argomento controverso[4]. Si può essere un patriota americano senza credere nelle reciproche responsabilità dei cittadini americani – anzi, per alcuni americani, il non crederci è un segno di patriottismo.

Gli Stati Uniti non sono nemmeno una «terra natia» (una dimora per quella grande famiglia che è la nazione), per lo meno nel senso nel quale lo sono genericamente, e nei modi di dire correnti, altri paesi. Sono un paese di immigrati i quali, per quanto riconoscenti verso questa nuova casa, ricordano ancora i vecchi paesi. E i loro figli sanno, anche se solo saltuariamente, che hanno radici altrove. Essi sono senza dubbio degli indigeni, ma un qualche strano senso di novità presente, o di una lontana vecchiezza, non permette loro di chiamare questa terra «casa». I vecchi usi politici della parola «casa» (*home counties*, *home station*, *Home Office*, *home rule*)[5], così comuni in Gran Bretagna, non hanno mai messo radici qui. Sentirsi «a casa» (*at home*) in America è un fatto personale: le parole americane col prefisso *home* designano luoghi vicini o persone di comuni origini (*homesteads*, *homefolks*, *hometowns*)[6]. Ciascuna è oggetto di di-

---

[4] Il discorso di Mario Cuomo al Congresso del Partito Democratico del 1984 rappresenta un bell'esempio di questo tipo di argomento.

[5] [Rispettivamente: le contee intorno a Londra; località; il Ministero degli interni; l'autonomia o l'autogoverno].

[6] [Rispettivamente: l'abitazione; i familiari o la gente del proprio paese; la città di provenienza o di residenza].

scussioni interessanti e interminabili, ma nessuna di esse ha a che vedere con il concetto di *communal home*, di casa comune o pubblica.

Non esiste neppure una comune *patria*, ma semmai molte diverse patrie. Per i figli, e spesso anche per i nipoti, della generazione immigrata la *patria*, la «terra natia dei propri antenati» è altrove. Il termine «nativi americani» designa solo i primi veri immigrati, coloro che giunsero qui diversi secoli prima di tutti gli altri. In quale momento il resto di noi che è cresciuto qui diventa indigeno? La questione non è mai stata decisa; per il momento, comunque, il linguaggio del nativismo è per lo più assente (non ha mai dominato la vita pubblica americana) anche quando la realtà politica non ha misteri. Il linguaggio nativista può essere usato contro la politica del nativismo, come si vede da questo brano di Horace Kallen, il teorico di un'America anonima: «Nel passato [dell'individuo], e ancora più nelle sue qualità, stanno i suoi antenati; nello spazio intorno a lui stanno i suoi parenti e congiunti, i quali condividono con lui l'unità organica ereditata da una comunanza remota di avi. In tutti loro egli vive, opera ed è. Essi costituiscono, letteralmente, la sua *natio*, l'interiorità della sua nativití»[7].

Ma poiché esistono molte «unità organiche» (qui il linguaggio trae in inganno: il nativismo antinativista di Kallen è culturale, non biologico), nessuna di loro può a ragione essere detta «americana». Gli americani non hanno un'interiorità loro propria; essi hanno un'interiorità solo perché guardano indietro.

Secondo Kallen, gli Stati Uniti non sono tanto un'unione di stati ma un'unione di gruppi etnici, raz-

[7] Kallen, *Culture and Democracy*, cit., p. 94.

ziali e religiosi – un'unione di «indigeni» che altrimenti non avrebbero nulla in comune. Qual è la natura di questa unione? Il Gran Sigillo degli Stati Uniti porta il motto *E pluribus unum* («Da molti uno») e sembra suggerire che la molteplicità debba essere abbandonata a favore dell'unità. Un tempo c'erano i molti, ora essi si sono mescolati o, secondo l'immagine classica di Israel Zangwill, si sono fusi in uno. Ma il Gran Sigillo presenta un'altra immagine: l'aquila «americana» che tiene fra gli artigli un fascio di frecce. E questa immagine non suggerisce l'unione o la fusione ma solo uno stare insieme, una raccolta: molti-in-uno. Forse, l'aggettivo «americano» descrive questo tipo di unità. Potremmo tentare di dire che indica la cittadinanza, non la nascita o la nazionalità, degli uomini e delle donne che designa. È un aggettivo politico e la sua politica è liberale in senso stretto: generosa, tollerante, di ampie vedute, accomodante – che permette la sopravvivenza, perfino la fioritura e l'accrescimento, della molteplicità.

Da questo punto di vista, detto a ragione «pluralista», la preposizione «da» che compare sul Gran Sigillo è falsa. Non c'è movimento dalla pluralità all'unità, ma piuttosto simultaneità, coesistenza – ancora una volta, molti-in-uno. Non intendo dire che si tratti di un mistero, come nella concezione cristiana di un Dio uno e trino. Il linguaggio del pluralismo a volte è un po' misterioso – basti pensare alla descrizione di Kallen dell'America come una «nazione di nazionalità» o all'immagine di Rawls dello stato liberale come una «unione sociale di unioni sociali» –, ma si presta a uno sviluppo razionale[8]. Un fascio di frecce non è, in fon-

---

[8] *Ibid.*, p. 122; J. Rawls, *A Theory of Justice*, Cambridge (Mass.), Harvard University Press, 1971, p. 527.

do, un'entità misteriosa. Possiamo trovare delle analogie nelle prime forme di organizzazione sociale: tribù composte di molti *clan*, *clan* composti di molte famiglie. Anche in questi casi sorgono conflitti di lealtà e di obblighi, inevitabili conseguenze del pluralismo. Eppure, queste analogie non si adattano perfettamente al caso americano, perché le tribù e i *clan* mancano dell'«anonimia» di cui parlava Kallen. Il pluralismo americano, come vedremo in seguito, è un fenomeno decisamente moderno – non misterioso, ma altamente complesso.

Dunque, gli Stati Uniti non sono una «nazione di nazionalità» o una «unione sociale di unioni sociali». O almeno, la singola nazione o unione non è costituita da più nazionalità o unioni, nel senso che non è un raggruppamento o un andare insieme di nazioni. In un certo senso le include; mette a disposizione una struttura che ne consente la coesistenza; ma non ne è costituita. Né si può dire che i singoli Stati fanno gli Stati Uniti: gli elementi costitutivi sono gli individui, gli uomini e le donne. Gli Stati Uniti sono un'associazione di cittadini. La loro «anonimia» consiste nel fatto che questi cittadini non trasferiscono il loro nome collettivo all'associazione. Non è mai successo che un gruppo di persone chiamate americani si sia riunito per formare una società politica chiamata America. Gli americani sono tali solo per il fatto di essersi riuniti insieme. E quale che fosse l'identità che avevano prima di diventare americani, essi la conservano anche dopo (o meglio, sono liberi di conservarla). Esiste, è vero, anche un altro modo di considerare l'americanizzazione, secondo il quale il successo dell'americanizzazione richiede la cancellazione dalla mente di tutte le identità precedenti – l'oblio o, come un entusiasta scrisse nel 1918, l'«oblio assoluto»[9]. Ma dal punto di vista pluralista, agli americani è permesso ricordare chi erano e anche di continuare ad essere *qualsiasi altra cosa siano*.

Essi non sono tuttavia obbligati a ricordare o a insistere nel voler essere. Così come i loro antenati fuggirono dal vecchio paese, anche loro, se lo desiderano, possono fuggire dalla loro vecchia identità, abbandonare l'«interiorità» della loro natività. A proposito dell'individuo, Kallen scrive che «qualunque cosa egli cambi, non potrà mai cambiare suo nonno»[10]. Forse non può; ma può senz'altro chiamare suo nonno «immigrato», rifiutarne abitudini e convinzioni, cambiare il proprio cognome, trasferirsi in un nuovo quartiere, adottare un nuovo «stile di vita».

Non diventerà per questo un americano migliore (anche se spesso è proprio questo il suo proposito), ma potrà diventare semplicemente un americano, un americano e niente altro, liberandosi di quel trattino che i pluralisti da questa parte dell'Oceano – ma non dall'altra – considerano come un segno di universalità. Liberatosi del trattino sembra essersi liberato anche dell'etnicità: «americano» non è uno dei gruppi etnici riconosciuti dal censimento degli Stati Uniti. Colui che è solamente un americano è, almeno per i nostri burocrati, etnicamente anonimo. Egli ha, tuttavia, il diritto all'anonimità: questo è parte di ciò che significa essere americani.

Per lungo tempo, gli anglo-americani pensarono se stessi come semplicemente americani – e non anonimamente: essi costituivano, così dicevano, una nuova etnia e una nuova nazionalità nella quale tutti i succes-

---

[9] Citato in Kallen, *Culture and Democracy*, cit., p. 138; l'autore dell'espressione era un sovrintendente delle scuole pubbliche di New York.
[10] *Ibid.*, p. 94.

sivi immigrati sarebbero stati lentamente assimilati. L'«americanizzazione» era un programma politico inteso a far sì che l'assimilazione non fosse un processo troppo lento, in un momento in cui, invece, sembrava non essere affatto un *processo*. Ma sebbene ci siano stati individui che fecero del loro meglio per americanizzarsi, cioè per adottare, almeno esteriormente, i costumi anglo-americani, ben presto questa cessò di essere vista come una strada plausibile verso un futuro «americano». Il numero degli immigrati non-britannici era troppo alto. Se ci doveva essere una nuova nazionalità, questa sarebbe stata un *melting pot*, un crogiuolo dove il calore era distribuito ugualmente a tutti i gruppi, ai primi come ai più recenti immigrati. All'inizio del secolo, l'americano anonimo era un segnaposto per qualche sconosciuta persona futura, un segnaposto che avrebbe dato un contenuto culturale al nome. Nel frattempo, la maggior parte degli americani era costituita di «americani col trattino» (*hyphenated Americans*) che avevano rapporti più o meno amichevoli con i propri nonni, o che erano più o meno devoti alla loro molteplicità. E il pluralismo era un programma politico alternativo, inteso a legittimare tale molteplicità e a renderla permanente – il che avrebbe lasciato coloro che erano solamente americani e niente altro in uno stato di permanente anonimia, assimilati da una non-identità culturale.

Cittadini

Ma sebbene questi americani anonimi non siano americani migliori per il fatto di essere o di essere diventati anonimi, è possibile che siano *cittadini* americani migliori. Se la molteplicità dell'America è culturale, la sua unità è politica, e può darsi che gli uomini e le donne liberi da culture non-americane si impegnino più profondamente nel sistema politico americano. Forse l'anonimia culturale è il miglior terreno per la politica americana. Fin dall'inizio, naturalmente, gli anglo-americani hanno preteso di sostenere che la loro cultura era il terreno migliore. Ovviamente ci sarebbe molto da dire al riguardo. Nonostante gli sforzi degli americani col trattino di descrivere la politica liberale e democratica come una sorta di «via unificata» alla quale tutti avrebbero contribuito, la genealogia del sistema politico americano assomiglia da vicino a quella dei Figli e delle Figlie della Rivoluzione Americana – le uniche organizzazioni etniche, se mai ce ne sono state! [11] Ma questa genealogia deve anche tener conto dell'esodo attraverso l'Atlantico e della Guerra di rivoluzione. Dopo tutto, l'oligarchia parlamentare britannica del XVIII secolo non era un modello utile per l'America. Quando gli antenati dei Figli e delle Figlie descrivevano le loro conquiste politiche come un «nuovo ordine per le generazioni future», stavano celebrando la rottura con il proprio passato etnico in maniera quasi altrettanto profonda di quanto, in seguito, gli americani furono chiamati a fare. Gli anglo-americani che rifiutarono la rottura con il passato si definirono «lealisti», ma dagli oppositori erano detti traditori e trattati molto più duramente, durante i successivi episodi della guerra e della rivoluzione, di quanto non lo furono gli americani col trattino che venivano dalla Russia, dalla Germania e dal Giappone.

La cittadinanza del «nuovo ordine» non era estesa a tutti; ne erano esclusi i neri, le donne e gli indiani (i

---

[11] Si veda la descrizione di Kallen di come gli anglo-americani furono costretti all'etnicità: *Culture and Democracy*, cit., pp. 99 ss.

nativi americani), ma non è mai stata comunque legata ad una singola nazionalità. «Per essere o per diventare americano – scrive Philip Gleason – a un individuo non era richiesto alcun particolare retroterra etnico, religioso, linguistico o nazionale. Tutto ciò che doveva fare era di impegnarsi in un'ideologia politica centrata su ideali astratti di libertà, uguaglianza e repubblicanesimo» [12]. Questi ideali astratti diedero vita ad una politica separata non solo dalla religione, ma dalla cultura stessa, o meglio, da tutte le particolari forme nelle quali si esprimevano, e si esprimono, le culture religiose e nazionali – questo è il senso della politica «anonima» di cui parlava Kallen. Anonimia suggerisce anche autonomia, sebbene non sia mia intenzione sostenere che la politica americana non fosse influenzata in maniera significativa dal protestantesimo inglese e, in seguito, dal cattolicesimo irlandese e poi ancora dagli impegni religiosi e dall'esperienza politica degli italiani, dei polacchi, degli ebrei, degli africani, degli spagnoli. Ma queste qualificazioni non hanno mai assunto una forma di oggettivazione forte, non sono mai diventate qualità permanenti ed esclusive dell'astratta politica e cittadinanza americane. L'aggettivo «americano» denotava, e ancora denota, una politica relativamente libera da qualificazioni religiose o nazionali, o, per meglio dire, esso è qualificato da un numero così elevato di religioni e nazionalità da essere libero da ognuna di esse.

È questa libertà che rende possibile all'unità americana di comprendere e proteggere la sua molteplicità. Ciononostante, il conflitto fra l'uno e il molteplice è una caratteristica saliente della vita americana. Quegli

[12] P. Gleason, *American Identity and Americanization*, in *Harvard Encyclopedia*, cit., p. 32.

americani che attribuiscono grande valore all'unicità della cittadinanza e alla centralità della lealtà politica devono cercare di limitare l'influenza della molteplicità culturale; coloro che apprezzano la molteplicità disprezzano l'unità. Il conflitto è evidente dai primi giorni della repubblica, ma io inizierò ad analizzarlo a partire dalla campagna di restrizione dell'immigrazione e della naturalizzazione che ebbe luogo negli anni cinquanta del secolo scorso. Chiamata comunemente dagli storici «nativista», la campagna si ispirava nella sua politica al repubblicanesimo di Rousseau [13].

Il fanatismo anti-irlandese e anti-cattolico giocò un ruolo importante nella mobilitazione in favore del partito americano (o repubblicano americano), popolarmente chiamato partito degli Ignoranti (*Know-Nothing*) [14]. Lo stile politico di questo partito, come di quello a lui contemporaneo degli abolizionisti e dei *free-soilers* [15], mostrava molte caratteristiche proprie del moralismo protestante. Ma l'immagine che dava di se stesso era soprattutto quella di un partito repubblicano, più interessato alle virtù civiche dei nuovi immigranti che alla loro identità etnica, poiché la sua

---

[13] Sulla complessità del «nativismo» si veda J. Higham, *Send These to Me: Jews and Other Immigrants in Urban America*, New York, Atheneum, 1975, pp. 102-115. Per un resoconto delle posizioni degli «Ignoranti» (*Know-Nothing*) diverso dal mio ma al quale devo molto, cfr. S.M. Lipset-E. Raab, *The Politics of Unreason: Right-wing Extremism in America, 1790-1970*, New York, Harper & Row, 1970, cap. 2.

[14] [Il partito degli Ignoranti, che era conosciuto anche con altri nomi (Grand Council of the United States of America, o The Supreme Order of the Star Spangled Banner), derivò il nome dall'essere una società segreta. Fu organizzato tra il 1852 e il 1853 e raggiunse la sua massima popolarità nel 1854-55. Si batté principalmente contro l'immigrazione e per la proscrizione politica dei cattolici. Come gruppo organizzato scomparve intorno alla fine degli anni sessanta].

[15] [Il partito dei *free-soilers*, attivo negli anni 1845-54, si batté contro l'estensione della schiavitù sul territorio americano e contro l'ammissione degli stati schiavisti nell'Unione].

critica religiosa era incentrata sulla pretesa connessione fra cattolicesimo e tirannia. A livello nazionale, il programma degli Ignoranti si occupava prevalentemente dei problemi della cittadinanza, a livello locale di quelli relativi all'istruzione pubblica. Nel Congresso, dove nel 1855 all'apice della sua forza il partito aveva 75 rappresentanti (e forse 45 simpatizzanti tra i 234 membri dell'assemblea), sembrava più interessato a limitare il suffragio che a bloccare l'immigrazione. Alcuni dei suoi membri avrebbero voluto impedire l'ingresso negli Stati Uniti ai «poveri», mentre altri avrebbero voluto imporre il giuramento di fedeltà a tutti gli immigrati appena sbarcati. Ma l'energia del partito era indirizzata soprattutto alla revisione delle leggi sulla naturalizzazione [16]. Gli Ignoranti si battevano non per l'eliminazione della molteplicità, ma per non riconoscere ad essa i diritti politici. Almeno fino agli ultimi anni del XIX secolo, la posizione della maggioranza dei «nativisti» americani molto probabilmente fu simile a questa.

Nel 1845, quando il livello dell'immigrazione era ancora molto basso, un gruppo di «nativi americani» riunitosi a Filadelfia dichiarò che «sarebbero state cordialmente accolte [tutte] le persone che venivano in America, che sarebbero stati concessi loro tutti i diritti, ad eccezione del voto e dell'accesso alle cariche pubbliche» [17]. Penso che l'opinione dei «nativisti» circa i neri americani fosse più o meno simile. La maggior parte degli Ignoranti del Nord (il partito era forte soprattutto nel New England) era decisamente contraria alla schiavitù, ma da ciò non seguiva che fosse

[16] F.G. Franklin, *The Legislative History of Naturalization in the United States*, New York, Arno Press, 1969, capp. 11-14.
[17] *Ibid.*, p. 247.

pronta ad accettare gli ex-schiavi come concittadini. La logica degli eventi portò alla cittadinanza dopo una guerra sanguinosa e gli Ignoranti, già allora fedeli repubblicani, probabilmente sostennero quella decisione. Ma la logica del principio repubblicano, secondo la loro interpretazione, ne avrebbe suggerito la posticipazione. E così, nel 1856, una risoluzione del parlamento del Massachusetts sosteneva che «le istituzioni repubblicane erano adatte soprattutto a gente intelligente e istruita, capace *e abituata* all'autogoverno. Le libere istituzioni potevano essere affidate in modo sicuro solo a uomini liberi...»[18]. I legislatori proseguivano con l'esortazione a concedere la naturalizzazione solo dopo ventun anni di residenza. Poiché era implicito che i residenti ai quali erano concessi i diritti politici sarebbero stati comunque membri a pieno titolo della società civile, un'altra parte della legislazione degli Ignoranti avrebbe sancito che dopo dodici mesi di residenza qualsiasi persona straniera bianca e libera (la proposta veniva da un senatore del Mississippi) avrebbe avuto diritto «a tutta la protezione da parte del governo e alla possibilità di ereditare, possedere e trasmettere beni immobili [...] come se fosse un cittadino»[19].

La società civile, dunque, avrebbe incluso una grande varietà di gruppi etnici, religiosi e forse anche razziali, ma i membri di questi gruppi avrebbero potuto acquisire il bene «inestimabile» della cittadinanza solo dopo un lungo periodo di educazione pratica alla democrazia (ma è veramente possibile apprendere stando solo a guardare?). Nel frattempo, i loro figli avrebbero ricevuto un'istruzione formale. A dispetto

[18] *Ibid.*, p. 293.
[19] *Ibid.*

27

del nome, gli Ignoranti pensavano che la cittadinanza richiedesse la conoscenza di un gran numero di cose. Alcuni di loro erano a favore dell'istruzione obbligatoria, ma di fronte alle obiezioni costituzionali, chiesero solo che il denaro pubblico non venisse speso per sostenere scuole parrocchiali. Vale la pena sottolineare che qui il principio cruciale non era quello della separazione tra Stato e Chiesa. Il partito degli Ignoranti non si opponeva alle leggi sabbatarie[20]. I suoi membri credevano che il denaro pubblico non dovesse essere usato per sostenere il pluralismo sociale – non nel caso della religione, ovviamente, ma nemmeno in quello della lingua e della cultura. L'identità politica, singola nella forma, doveva essere pubblicamente inculcata e difesa; la pluralità delle identità sociali sarebbe stata difesa nel privato.

Non ho dubbi sul fatto che la maggioranza dei «nativisti» sperava che la pluralità non venisse difesa. Essi avevano idee precise, se non vere e proprie teorie sociologiche, sulla connessione fra politica e cultura – nel caso specifico, come ho già detto, fra la politica repubblicana e la cultura protestante britannica. Non intendo sottovalutare la centralità di tali idee: questa era probabilmente la prova che gli Ignoranti mentivano quando dicevano di non sapere nulla. Ciò nondimeno, la logica della loro posizione, come di quella di qualsiasi altra posizione del repubblicanesimo «americano», spingeva verso la creazione di una politica indipendente da tutte le etnie e le religioni della società civile. In caso contrario, troppi sarebbero stati gli esclusi; il mondo politico sarebbe stato troppo simile a

[20] Lipset-Raab, *Politics of Unreason*, cit., p. 46. [Con queste leggi si sarebbe riconosciuta l'osservanza del settimo giorno della settimana come giorno sacro, in conformità alla lettera del decalogo].

quello della Vecchia Inghilterra e non avrebbe avuto nulla a che fare con il «nuovo ordine per le generazioni future» e con l'«America». D'altro canto, i «nativisti» americani non potevano sfidare il pluralismo etnico né quello religioso, perché entrambi erano protetti (così come lo erano le scuole parrocchiali) da quella stessa costituzione alla quale proclamavano un attaccamento appassionato. Potevano solo ripetere che un tale appassionato attaccamento doveva essere il segno distintivo di tutti i cittadini, e svolgere le solite argomentazioni contro la serietà dell'amore a prima vista e a favore di legami stabili. Essi volevano ciò che Rousseau voleva: che i cittadini traessero la loro felicità dalle attività pubbliche (politiche) piuttosto che da quelle private (sociali)[21]. Ed erano pronti a negare la cittadinanza a tutti gli uomini e le donne che non sembravano avere questa propensione.

Senza dubbio, la felicità pubblica riusciva più facile ai «nativisti», perché essi si sentivano perfettamente a casa loro nella vita pubblica americana. Ma non dovremmo attribuire con troppa facilità tale sentimento al trasferimento della coscienza etnica nella sfera politica. Infatti, la politica americana della metà del secolo era così aperta, egualitaria e democratica (rispetto a quella europea) che praticamente chiunque poteva sentirsi come a casa propria. Proprio perché gli Stati Uniti non erano la *nazione* di nessuno, la loro politica era universalmente accessibile. Tutto ciò che era necessario era l'impegno ideologico come principio e, nella pratica, una buona capacità di parlare. Gli irlandesi se la cavarono molto bene e dimostrarono in maniera determinante che «britannico» e «protestan-

---

[21] Jean-Jacques Rousseau, *Il contratto sociale*, in *Scritti Politici*, a cura di P. Alatri, Torino, Utet, 1970, libro iii, cap. 15.

te» non erano aggettivi necessari a descrivere la politica americana, e che implicavano la molteplicità, non l'unità.

Per questa ragione, i simboli e le cerimonie della cittadinanza americana non potevano essere presi dalla cultura politica e dalla storia degli anglo-americani. Il nostro Congresso non è la Camera dei Comuni; la giornata di Guy Fawkes non è una festività americana[22]; la Magna Carta non è mai stato uno dei nostri testi sacri. I simboli e le cerimonie americane sono culturalmente anonimi, inventati piuttosto che ereditati, volontaristici nello stile e di limitato contenuto politico: la bandiera, il Giuramento, il Quattro di Luglio, la Costituzione. È perfettamente corretto affermare che il partito degli Ignoranti ebbe origine dalla società segreta della *Star-Spangled Banner*[23]. Ed è quindi perfettamente comprensibile che la bandiera e il Giuramento continuino, anche oggi, ad occupare un ampio spazio nel dibattito politico. Quanto rispetto è dovuto alla bandiera? In quali occasioni deve essere salutata? È giusto imporre che a scuola i bambini recitino il Giuramento e che gli insegnanti dirigano la recita? Questioni come queste sono la prova di un impegno politico che non può essere dato per scontato, perché non è sostanziato da quella comunanza culturale e religiosa che costituisce la base della fiducia reciproca. La bandiera e il Giuramento sono tutto ciò che abbiamo. Certo, si potrebbero suggerire altri

---

[22] [L'episodio in cui Guy Fawkes, il cospiratore morto nel 1606, tentò di incendiare la sede del parlamento inglese, si festeggia il 5 novembre bruciandone l'effige].
[23] [«Bandiera a Stelle e Strisce». Da questa società massonica ha preso il nome la bandiera (comunemente chiamata «a stelle e strisce») e l'inno nazionale, *The Star-Spangled Banner*, composto da Francis Scott Key nel 1814].

test di lealtà più pratici, per esempio la partecipazione responsabile alla vita politica. Ma la vera alternativa storica è il test proposto dai pluralisti culturali: si prova il proprio americanismo vivendo in pace con tutti gli altri «americani», cioè accettando di rispettare la molteplicità sociale piuttosto che giurando fedeltà a una repubblica «una e indivisibile». E dalla logica di questo argomento i pluralisti sono portati a concludere che la cittadinanza è qualcosa di meno che un bene «inestimabile».

Americani col trattino

Era certamente un bene essere cittadini americani. Horace Kallen era pronto a definire la cittadinanza come una «grande vocazione», ma era chiaro che non credeva (negli anni dieci e venti di questo secolo, quando scrisse i suoi saggi classici sul pluralismo culturale) che di essa si potesse fare una ragione di vita. La politica era per lui un'attività necessaria, ma non un nutrimento per lo spirito. Era di più facile comprensione se la si spiegava in termini strumentali; essa aveva a che fare con gli ordinamenti che rendevano possibile a gruppi di cittadini di «realizzare e proteggere» le loro diverse culture e di «raggiungere quell'eccellenza a loro appropriata» [24]. Questi ordinamenti, secondo Kallen, dovevano essere democratici e la democrazia richiedeva cittadini di un certo tipo: autonomi, autodisciplinati, capaci di cooperazione e di compromesso. L'«americanizzazione» era perfettamente legittima fino a quando mirava a sviluppare queste qualità; qualità che costituivano la virtù civica e che secondo Kallen dovevano essere comuni a tutti gli

[24] Kallen, *Culture and Democracy*, cit., p. 61.

31

americani. Ma è abbastanza curioso vedere come queste qualità non toccassero in profondità l'Io. «La vita comune della città, che dipende dalla similitudine di mentalità, non è interna, corporativa, inevitabile, ma esterna, inarticolata e causale [...] non è l'espressione di una omogeneità di eredità, mentalità, interessi»[25].

Di qui il programma di Kallen: assimilazione «economica e politica», differenza «culturale»[26]. Il trattino riuniva questi due processi in una sola persona, cosicché un ebreo-americano (quale era Kallen) era simile agli altri americani nella sua attività economica e politica, ma simile solo agli altri ebrei a un livello culturale più profondo[27]. È chiaro che gli americani col trattino di Kallen, la vita spirituale dei quali è collocata chiaramente a sinistra del trattino, non potranno trarre la loro più grande felicità dall'essere cittadini. Nemmeno lo dovrebbero, perché per i pluralisti culturali la cultura è molto più importante della politica e permette una più completa soddisfazione. Sembra che i pluralisti non possano essere dei buoni repubblicani per la stessa ragione per la quale i repubblicani, secondo l'esempio classico di Rousseau, non possono essere dei buoni pluralisti. I due aspirano a beni di tipo diverso.

Gli americani col trattino di Kallen possono essere senz'altro cittadini attenti e coscienziosi, ma secondo

---

[25] *Ibid.*, p. 78.
[26] *Ibid.*, pp. 114-15.
[27] È interessante notare che sia i «nativisti» che i pluralisti vogliono mantenere il mercato libero da considerazioni etniche e religiose. Gli Ignoranti, invece, poiché pensavano che la politica democratica fosse meglio servita dall'etnicità britannica e dalla religione protestante, collocavano il mercato all'interno della società civile, concedendo pieni diritti economici anche ai nuovi immigrati cattolici. Kallen, al contrario, poiché intende la società civile come un mondo di gruppi etnici e religiosi, assimila il mercato all'universalità della sfera politica, alla «vita comune della città».

un modello liberale, non repubblicano. Questo fatto significa due cose. La prima è che i diversi gruppi etnici e religiosi possono intervenire nella vita politica solo per difendere se stessi e favorire i loro comuni interessi – come nel caso della Naacp[28] e della Lega anti-diffamazione – ma non per imporre la loro cultura o i loro valori. Essi devono riconoscere che lo Stato è anonimo (o, secondo il linguaggio dei teorici della politica, neutrale) almeno in questo senso: che esso non può assumere né il carattere né il nome di nessuno dei gruppi che include. Esso non è uno Stato-nazione di tipo particolare e non è neppure una repubblica cristiana. La seconda cosa è che il principale impegno politico dei singoli cittadini è quello di proteggere ciò che li protegge, di conservare la struttura democratica all'interno della quale essi possono perseguire le loro più sostanziali attività. Questo impegno è coerente con i sentimenti di gratitudine, lealtà e perfino patriottismo di un certo tipo, ma non crea il senso di appartenenza. Certo, l'*unione* politica (ed economica) c'è, ma essa è di tal sorta da precludere l'intimità. «La vita politica ed economica della Confederazione – scrive Kallen – è una singola unità e serve come base e retroterra per la realizzazione dell'individualità distintiva di ciascuna *natio*»[29]. Qui il pluralismo è direttamente opposto al repubblicanesimo: la politica non offre né l'autorealizzazione né la comunione. L'intensità sta, o dovrebbe stare, altrove.

Kallen naturalmente crede che questo «altrove» esista realmente: la sua visione non è utopistica; e «forse» un «altrove» non c'è. I «gruppi organici» che fanno

---

[28] [Associazione Nazionale per la Promozione della Popolazione di Colore].

[29] Kallen, *Culture and Democracy*, cit., p. 124.

l'America di Kallen nella vita pubblica «appaiono» solamente come gruppi di interesse, organizzati per il perseguimento dei beni sociali e materiali che sono universalmente desiderati, ma che a volte scarseggiano e spesso sono distribuiti iniquamente. Questa è la sola «apparizione» autorizzata da un sistema politico liberale e democratico. Ma al di là di questo, nascosto alla vista del pubblico, si trova il vero significato dell'etnicità o della religione: «È il centro su cui poggia [l'individuo], il punto d'incontro delle sue più intime relazioni sociali, e quindi della sua vita emotiva più intensa»[30]. Sono propenso a credere che questa sia una visione troppo radicale dell'identificazione etnica e religiosa, perché sembra tener fuori i conflitti morali che da ambo le parti coinvolgono le emozioni dell'individuo. Ma il punto più importante del discorso di Kallen è, più semplicemente, che *altrove* c'è lo spazio e l'opportunità per le soddisfazioni spirituali che la politica non può (o non dovrebbe) offrire. E poiché gli individui trovano realmente tale appagamento, i gruppi all'interno dei quali esso è possibile possono essere sostenuti permanentemente: essi non si scioglieranno, per lo meno non attraverso un processo sociale ordinario, cioè non coercitivo. Forse potranno essere repressi, qualora la repressione sarà sufficientemente feroce: ma anche in questo caso ne usciranno alla fine vincitori.

Kallen non era del tutto consapevole delle potenti forze che spingono verso la fusione culturale anche quando non c'è repressione. Egli ha parole severe sul potere dei mass media – anche se li ha conosciuti solo nella loro prima infanzia e in un tempo in cui i giornali avevano soprattutto un carattere locale e proliferava la stampa in lingua straniera. Nella sua analisi e critica

[30] *Ibid.*, p. 200.

34

della pressione al conformismo, egli anticipò quello che negli anni cinquanta sarebbe diventato un genere di critica sociale peculiarmente americano. Non è sempre chiaro se egli veda il pluralismo come una salvaguardia o un antidoto contro il conformismo degli etno-americani a quegli «americanismi» privi d'anima che egli tanto aborriva, pellicole opache che distruggono qualsiasi splendore interiore. In ogni caso, egli è sicuro che lo splendore interiore sopravviverà, «perché la Natura è naturalmente pluralistica; le sue unità sono possibili, non sostanziali...»[31]. «Possibili» nel senso che alla fine, egli pensa, l'unione americana sarà solo una questione di «reciproco adattamento» che lascerà intatta la supremazia dell'identità etnica e religiosa. Negli anni successivi agli scritti di Kallen, questa idea ha avuto molto seguito ideologico ma poco riscontro pratico. «I principi pluralisti [...] sono entrati nella loro fase ascendente – scrive un critico contemporaneo del pluralismo – esattamente quando le differenze etniche hanno iniziato la loro fase discendente»[32]. E che dire se l'«eccellenza» adatta a noi non è più semplicemente l'eccellenza americana? Non necessariamente la virtù civica auspicata dai «nativisti», dai repubblicani e dai comunitari contemporanei, ma tuttavia un qualche colore locale che brilli di una luce peculiarmente nostra?

Distanza periferica

Questo colore locale è più visibile, credo, nella cultura popolare, e ciò è perfettamente appropriato

[31] *Ibid.*, p. 179.
[32] S. Steinberg, *The Ethnic Myth: Race, Ethnicity, and Class in America*, Boston, Beacon Press, 1981, p. 254.

alla prima democrazia di massa del mondo. Si consideri, per esempio, il film *Un americano a Parigi*, in cui l'eroe è semplicemente un americano, e non un irlandese – o un tedesco –, o un ebreo-americano. Quando andiamo all'estero perdiamo i trattini ? Ma poi, che ne è di noi senza quei trattini? Portiamo con noi degli artefatti culturali di tipo specifico: *une danse americaine*, spiega Gene Kelly ai bambini francesi quando inizia a ballare il tip-tap. E come altro potrebbe chiamarla questo miscuglio di danza degli zoccoli nordinglese, di mulinello e giga irlandese, di passo ritmico africano a cui si aggiunsero, all'epoca del film, le influenze del balletto francese e di quello russo? Una creatività di questo tipo è spiegata e celebrata da quegli scrittori e pensatori, eroi dell'alta cultura americana, che possiamo identificare come americani tipici: di qui la difesa di Emerson di una vita sperimentale (ma non credo che Emerson sarebbe stato un grande ammiratore del tip-tap), l'idea dell'inclusività democratica di Whitman, il pragmatismo di Peirce e di James[33].

[33] [Ralph Waldo Emerson (1803-1882) nacque a Boston, studiò alla Boston Latin School e ad Harvard. Pastore unitarianista, abbandonò gradualmente l'eredità filosofica puritana, essenzialmente empirico-razionalista, per avvicinarsi alle filosofie romantiche inglesi (Coleridge e Carlyle) e tedesche (Fichte, Schelling e Goethe), attente soprattutto a esaltare l'intuitività creativa del singolo e un vitalismo energetico e immanentistico. Di lui si veda la recente traduzione italiana di *Natura e altri saggi*, cit. Walt Whitman (1819-1892), nacque a Long Island da famiglia poverissima; dopo aver praticato vari mestieri (da fattorino a tipografo) iniziò a insegnare in scuole di provincia. Fu giornalista, e soprattutto poeta, il poeta dell'individualismo democratico, autore nel 1855 della famosa raccolta, *Leaves of the Grass*, definito dai critici come il poema epico dell'anima americana. Di lui si veda la traduzione di *Foglie d'erba*, cit. Charles Sanders Peirce (1839-1914) ha coniato il termine «pragmatismo», poi mutato in «pragmaticismo» per distinguerlo da quello di William James, per designare una teoria del significato, un metodo per rendere chiare le nostre idee. Fu autore del trattato *The Grand Logic*

«Una nazionalità americana – scrive Gleason – di fatto esiste»[34]. Non solo uno Stato politico, sostenuto da un insieme di simboli e di cerimonie politiche, ma una nazionalità di sangue che riflette una storia e una cultura – esattamente come tutte le altre nazionalità dalle quali provengono e continuano a essere reclutati gli americani. Dato il flusso ininterrotto dell'immigrazione, è difficile vedere il reale successo dell'americanizzazione nella creazione di tipi, caratteri, stili e artefatti che i parigini vicini di casa di Gene Kelly riconobbero a buon diritto come «americani». Ma la cosa più importante è che gli americani si riconoscono tra loro, sono orgogliosi di quello che i loro concittadini hanno prodotto, e si identificano con la comunità nazionale. E così, secondo Gleason, anche se indubbiamente esistono persone dette italo-americani o svedesi-americani, la vita spirituale (e politica) è vissuta nella parte destra del trattino: confrontati con gli italiani e gli svedesi veri, essi sono veri americani.

Questa idea mi sembra insieme giusta e sbagliata. È giusta perché nega la visione di Kallen di un'America come una nazione anonima chiamata con i nomi delle nazionalità che la abitano. È sbagliata perché sostiene che l'America è una nazione come tutte le altre. Ma la verità non sta dove naturalmente potremmo essere spinti a cercarla, come se si potesse localizzare l'America in un punto preciso lungo il *continuum* che sta fra la molteplicità e l'unità. Voglio

---

rimasto incompiuto e che cominciò a essere pubblicato dopo la sua morte. William James (1842-1910) con Peirce condivise la fama di fondatore del pragmatismo che tuttavia egli interpretò non solo come metodo ma anche come teoria genetica della verità. Tra le sue opere sono da ricordare *The Principles of Psychology* del 1890, *The Will to Believe* del 1897 e *Pragmatism* del 1907, tutte tradotte in italiano].

[34] Gleason, *American Identity*, cit., p. 56.

seguire il consiglio di quella canzone americana, altro prodotto della cultura popolare, che dice: «Non perderti nel mistero che incontri lungo la via»[35]. Se ci sono artefatti culturali, musiche, danze, stili di vita e anche filosofie che sono esclusivamente americane, c'è anche un'idea dell'America che è in se stessa distinta, che incorpora l'unità e la molteplicità di un «nuovo ordine» che potrà, o non potrà, valere anche per le «generazioni future», ma che ha certamente valore per noi, qui e ora.

I pluralisti culturali si avvicinano più di tutti alla comprensione del «nuovo ordine», più dei «nativisti», dei nazionalisti e dei comunitari americani. Tuttavia, c'è una nazione e una comunità nazionale, e anche un gran numero di indigeni americani. Anche gli americani della prima e della seconda generazione, come osserva Gleason, hanno tombe da visitare e case e quartieri da ricordare *in questa nazione*, da questa parte dell'Oceano quali che siano i mari che i loro antenati hanno attraversato[36]. Ciò che contraddistingue la nazionalità di questi americani non è il suo carattere insostanziale – la sostanza si acquisisce velocemente – ma è il suo carattere non-esclusivo. Ricordando il Dio degli ebrei, mi sento di dire che l'America non è una nazione gelosa. Almeno in questo senso, è diversa da molte altre.

Si consideri, per esempio, un momento classico della storia francese: il dibattito sull'emancipazione degli ebrei nel 1790 e nel 1791. Non si tratta in nessun modo di un momento critico: nella Francia rivoluzionaria c'erano poco meno che 35 mila ebrei, e di questi

---

[35] Il titolo della canzone è *Sii positivo*, che è probabilmente ciò che sto facendo qui.
[36] Gleason, *American Identity*, cit., p. 56.

solo 500 a Parigi. Gli ebrei non erano economicamente potenti e neppure intellettualmente coinvolti nella vita francese (tutto ciò poté avvenire solo dopo l'emancipazione). Tuttavia, il dibattito fu lungo e serio, perché aveva a che fare con il significato della cittadinanza e della nazionalità. Quando l'Assemblea Costituente nel 1791 approvò la piena emancipazione, la sua posizione venne riassunta da Clermont-Tonnerre, un deputato del Centro, in una famosa frase: «Si deve rifiutare tutto agli ebrei come nazione e concedere tutto agli ebrei come individui [...]. Sarebbe ripugnante avere [...] una nazione dentro una nazione» [37]. Il voto dell'Assemblea portò allo smembramento del gruppo ebraico, che era stato sanzionato e protetto dalla monarchia. «Rifiutare tutto agli ebrei come nazione» significava togliere la sanzione e negare la protezione. Da quel momento, le comunità ebraiche sarebbero state associazioni volontarie e i singoli ebrei avrebbero avuto dei diritti tanto nei confronti della loro comunità che dello Stato: Clermont-Tonnerre era un buon liberale.

Ma il dibattito dell'Assemblea significava anche che la maggioranza dei deputati favorevoli all'emancipazione non avrebbe visto con favore neanche le associazioni volontarie degli ebrei, visto che esse riflettevano o la sensibilità nazionale o la differenza culturale. Il futuro leader girondino, Brissot, difendendo l'emancipazione, predisse che gli ebrei che sarebbero diventati cittadini francesi avrebbero «perduto le loro caratteristiche particolari». Penso che egli avrebbe difficilmen-

---

[37] Citato in G. Kates, *Jewes into Frenchmen: Nationality and Representation in Revolutionary France*, in «Social Research», LVI, 1989, p. 229. Cfr. anche A. Hertzberg, *The French Enlightenment and the Jews: The Origins of Modern Anti-Semitism*, New York, Schocken, 1970, pp. 360-62.

te potuto immaginare un trionfo più grande del *civisme* francese – come se la Seconda Venuta laica, al pari di quella religiosa, avesse atteso solo la conversione degli ebrei. Brissot pensava che quel giorno fosse vicino: «La loro idoneità [alla cittadinanza] li rigenererà»[38]. Gli ebrei potevano essere buoni cittadini solo se fossero stati rigenerati, il che significava, in effetti, che potevano essere buoni cittadini solo se fossero diventati francesi. (Dopo tutto, essi dovevano avere qualche «caratteristica particolare», e se non la loro propria, di chi altri?). Senza dubbio, i loro emancipatori avevano una visione magnanima della loro capacità di riuscirvi, ma non sarebbe stata magnanima di fronte a un'eventuale resistenza (da parte degli ebrei o di qualunque altro gruppo del vecchio regime). Il prezzo dell'emancipazione era l'assimilazione.

Da allora, questa è stata l'idea francese della cittadinanza. Sebbene siano state spesso generose nel concedere il prezioso statuto di cittadini agli stranieri, le successive repubbliche sono state sospettose verso ogni forma di pluralismo etnico. Ciascuna repubblica è stata «una e indivisibile», basata, come pensava Rousseau, su una forte unità nazionale. Unità completa che, secondo questa prospettiva, costituisce la sola garanzia che nella politica francese la volontà generale del bene comune trionfi.

L'America è molto diversa, e non solo per l'eclissi del repubblicanesimo agli inizi del secolo scorso. È vero che il repubblicanesimo ha avuto un tipo di «vita dopo la morte» come una delle ideologie che hanno legittimato la politica americana. Il volontario dell'esercito americano, pronto a partire all'istante (*the*

---

[38] Kates, *Jewes into Frenchmen*, cit., p. 229.

minuteman) [39] è un'immagine repubblicana di incarnazione della cittadinanza. Il rispetto della bandiera è una forma della pietà repubblicana. Il Giuramento di Fedeltà è un giuramento repubblicano. Ma l'insistenza su questo tipo di cose riflette la disunione sociale più che l'unità; è uno sforzo verso l'unità dove l'unità non esiste. In realtà, eccezion fatta per alcuni gravi episodi, l'America è stata sempre molto tollerante verso il pluralismo etnico (molto meno verso quello razziale) [40]. Non intendo sottovalutare le difficoltà umane di adattamento, anche di quello ad un americanismo col trattino, e neppure negare il razzismo e la discriminazione che alcuni gruppi hanno subito. Ma la tolleranza è stata la norma culturale.

Forse una società di immigrati non ha scelta; la tolleranza è una forma di soluzione quando ogni altra alternativa politica sarebbe violenta e pericolosa. Ma ritengo che nella maggior parte dei casi noi abbiamo fatto di necessità virtù; abbiamo fatto sì che la tolleranza, almeno in linea di principio benché non sempre nella pratica, soppiantasse l'unilateralità della cittadinanza repubblicana. Abbiamo fatto la nostra pace con le «caratteristiche particolari» di tutti i gruppi di im-

---

[39] [Il *minuteman*, il colono americano armato e pronto a combattere in qualsiasi momento, fu il vero protagonista della rivoluzione americana].

[40] L'attuale richiesta di (alcuni) americani di colore di essere chiamati afro-americani rappresenta un tentativo di adattamento al paradigma etnico – e forse imiterà il relativo successo ottenuto in questo tipo di adattamento dai vari gruppi di asiatico-americani. Ma i nomi non sono garanzie sufficienti; né, d'altra parte, il pluralismo antinativista costituisce una sufficiente protezione contro ciò che troppo spesso è stato il razzismo *etno*-americano: l'inclusione di successive ondate di immigrati è possibile solo per la permanente esclusione degli americani di colore. Ma non so quale evidenza potrebbe dimostrare questa *necessità*. Sono portato a respingere la credenza metafisica secondo la quale ogni inclusione implica l'esclusione. Un resoconto storico e critico del ruolo dei neri nel «sistema» del pluralismo americano richiederebbe un altro saggio.

41

migrati (anche se, ancora una volta, non con tutti i gruppi razziali) e abbiamo finito per considerare la nazionalità americana come un'addizione piuttosto che come una sostituzione della coscienza etnica. Il trattino funziona, quando funziona, come un segno più. «Americano» è senz'altro un nome, ma a differenza di «francese» o «tedesco» o «italiano», o «coreano» o «giapponese» o «cambogiano», esso può servire come un secondo nome. E come in quei matrimoni moderni nei quali i cognomi si sommano, né il primo né il secondo nome è dominante: in questo caso il trattino funziona essenzialmente come un segno di uguaglianza.

Possiamo anche andare oltre: nel caso degli americani col trattino non importa quale dei due nomi sia dominante. La maggior parte delle volte insistiamo affinché le «caratteristiche particolari» associate al primo nome siano mantenute (come volevano gli Ignoranti) senza l'aiuto dello Stato – e, forse, in questi termini quelle caratteristiche non potrebbero essere conservate. Tuttavia, un americano etnico è uno che per principio vive la propria vita spirituale come preferisce, *da una parte o dall'altra del trattino*. In questo senso, la cittadinanza americana è davvero anonima, perché non richiede un impegno totale alla nazionalità americana (o a qualche altra). La peculiare cultura nazionale che gli americani hanno creato non sostiene la politica americana, ma semplicemente coesiste con essa. Ne consegue che coloro che all'inizio ho chiamato semplicemente americani, americani e niente altro, hanno di fatto un'esistenza molto più complicata di quella suggerita dal termine. Sono americani-americani, un gruppo in più di americani col trattino (ben diverso dagli altri); ed è facile immaginare che essi partecipino agli eventi culturali del loro americanismo e rifiutino l'impegno politico richiesto dall'ideologia repubblicana. Potranno essere buoni o cattivi cittadini, così come gli ebrei ortodossi e quelli laici (rigenerati), i protestanti fondamentalisti e quelli liberali, gli irlandesi repubblicani e quelli democratici, i neri nazionalisti e quelli integrazionisti, possono essere buoni o cattivi cittadini, dato il significato americano (liberale più che repubblicano) della cittadinanza.

È necessario un passo ulteriore prima di poter comprendere a pieno questa strana America: non è che gli irlandesi-americani, per esempio, siano culturalmente irlandesi e politicamente americani, come pretendono i pluralisti (e come io ho supposto fino a questo momento per chiarire i termini del problema). Piuttosto, essi sono culturalmente irlandesi-americani e politicamente irlandesi-americani. La loro cultura è stata influenzata in maniera decisiva dalla cultura americana; la loro politica è tuttora, sia nello stile che nella sostanza, significativamente etnica. Nel loro caso, come nel caso di ogni altro gruppo etnico ad eccezione degli americani-americani, l'identità col trattino è doppia. È vero che ciò che tutti i gruppi hanno in comune è prima di tutto la cittadinanza, mentre ciò che li distingue maggiormente è la cultura. Di qui nasce la continua alternanza nella vita americana di ardore patriottico e di risveglio etnico. Il primo esprime il desiderio di rafforzare la comunità, il secondo quello di riaffermare la differenza.

A entrambe le estremità di questa peculiare alternanza americana il bene difeso è anche esagerato e distorto, cosicché il pluralismo stesso viene minacciato dai sentimenti che genera. Gli ardori patriottici sono il sintomo di una patologia repubblicana. In discussione è qui l'unico impegno ideologico veramente importante, quello che – come dice Gleason – costituisce il solo pre-requisito della cittadinanza americana. Poiché la cittadinanza non è garantita fino in fondo dall'unità, patrioti o superpatrioti cercano di garantirla con giuramenti di fedeltà e campagne contro le attività «antiamericane». Non essendo riuscito a bloccare la naturalizzazione, il partito degli Ignoranti è ricorso alle purghe politiche e alle deportazioni. I risvegli etnici sono meno militanti e meno crudeli anche se non sono privi di una loro patologia. In questo caso si tratta di orgoglio di gruppo e di potere – una richiesta di riconoscimento politico senza assimilazione, un'affermazione della politica degli interessi di gruppo contro l'ideologia repubblicana, uno sforzo di distinguere un gruppo (il proprio) da tutti gli altri. Il patriottismo americano vive sempre nell'apprensione e nel nervosismo, perché l'identità col trattino crea di fatto una condizione di doppia fedeltà e nello stesso tempo sembra essere un fenomeno completamente americano. Ma anche il risveglio etnico vive nell'apprensione e nel nervosismo, perché gli americani col trattino sono americani da entrambi i lati del trattino.

In queste circostanze, il repubblicanesimo è un miraggio, e il nazionalismo americano o il comunitarismo non sono opzioni plausibili perché non riescono a cogliere la nostra complessità. Una certa quantità di comunitarismo è presente in ciascuno dei gruppi col trattino – ad eccezione, almeno così sembra, degli americani-americani, una comunità che, se davvero esistesse, negherebbe l'americanismo di tutte le altre. Per questa ragione, Horace Kallen può essere meglio descritto come un ebreo (-americano) comunitario e come un (ebreo-) americano liberale. Questo tipo di coesistenza, se realizzata su vasta scala, costituirebbe il modello di quello che Kallen aveva chiamato pluralismo culturale. Ma le differenze etniche e le comunità religiose sono molto più precarie di quanto egli pensasse, perché in un sistema liberale esse non sono né corporazioni né hanno una struttura legale o un potere coercitivo. E senza questi supporti «ciò che è organicamente ereditato» sembra dissiparsi – la popolazione perde la coesione, la vita culturale manca di coerenza. I «gruppi» che ne risultano sono meglio descritti – suggerisce John Higham – come aventi un *centro* di attivisti e di credenti e una *periferia* in espansione di membri e seguaci dispersi in un'America più vasta[41]. Al *centro* è più forte il lato sinistro del (doppio) trattino; lungo la *periferia* è più forte il lato destro anche se non riesce mai a diventare dominante. Gli americani scelgono la propria collocazione; e sembra che un numero sempre più alto abbia scelto di scomparire all'orizzonte delle distanze periferiche. Questi diventano americani-americani, anche se senza troppa passione. Ma se il *centro* non tiene non per questo scompare; esso è ancora capace di risvegli periodici.

Contemporaneamente, un flusso immigratorio continuo riproduce il pluralismo kalleniano creando nuovi gruppi di americani col trattino e incoraggiando il risveglio fra i credenti dei vecchi gruppi. L'America è ancora una società radicalmente incompleta, e, almeno per ora, ha senso dire che questa incompletezza costituisce una delle sue caratteristiche fondamentali. Il paese ha un centro politico, ma in generale rimane un paese decentrato. Inoltre, nonostante gli occasionali fervori patriottici, il centro politico non opera contro il decentramento in altri campi. Non richiede né domanda quel tipo di impegno che metterebbe in

[41] Higham, *Send These To Me*, cit., p. 242.

dubbio la legittimità dell'identificazione etnica e religiosa. Non aspira a costruire un americanismo completo e coerente. Al contrario, la politica americana, pluralista per carattere, *ha bisogno* di un certo tipo di incoerenza. Un programma radicale di americanizzazione sarebbe *veramente* anti-americano. Non è inconcepibile che un giorno l'America diventi uno Stato-nazione nel quale la molteplicità lasci il posto all'unità, ma questo non è ciò che accade ora né è il nostro destino. L'America non ha un singolo destino nazionale – e essere «americani» significa saperlo ed essere più o meno contenti che sia così.

2. Pluralismo: una prospettiva politica[1]

Democrazia e nazionalismo

Dal tempo dell'antica Grecia ad oggi, la maggioranza dei teorici politici ha presupposto l'omogeneità nazionale o etnica delle comunità delle quali scriveva. Prima delle opere di Rousseau, la teoria politica non è mai stata esplicitamente nazionalistica, ma l'assunzione di una comune lingua, storia o religione faceva da sfondo alla maggior parte di ciò che veniva scritto a proposito delle pratiche politiche e delle istituzioni. Così, l'unico impero sistematicamente difeso nella grande tradizione della teoria politica è stato l'impero cristiano del medioevo: si diceva cioè che una comune religione rendeva possibile una comunità politica. Gli imperi religiosamente misti dei tempi antichi e moderni, invece, non hanno avuto difensori teorici ma solo pubblicisti e apologeti. Il pensiero politico è stato dominato dalla Grecia di Pericle non da quella di Alessandro Magno, dalla Roma repubblicana non dalla Roma imperiale, da Venezia e dall'Olanda non dal-

[1] [Pubblicato nella *Harvard Encyclopedia of American Ethnic Groups*, cit., pp. 781-87].

l'Europa degli Asburgo. Perfino gli scrittori liberali, abbastanza solleciti a riconoscere la pluralità degli interessi, erano sorprendentemente poco solleciti a riconoscere la pluralità delle culture. Una nazione fa uno Stato. L'argomento degli autori dei *Federalist Papers* (1787-1788) può essere preso come esempio di una lunga tradizione di pensiero. Gli americani, ha scritto John Jay, sono un popolo «che discende da comuni antenati che parlavano la stessa lingua, professavano la stessa religione, condividevano gli stessi principi sul governo, ed erano simili negli usi e nei costumi». Sicuramente, una «unione di fratelli» così coesa «non si sarebbe mai divisa in una moltitudine di sovranità asociali, gelose e tra loro estranee»[2].

La descrizione di Jay era solo approssimativamente giusta nell'America del 1787, e anche nel corso della storia dell'umanità la massima *una nazione, uno Stato* era stata frequentemente soggetta a violazioni. Molto spesso i fratelli erano stati divisi in sovranità tra loro estranee ed erano stati forzati a coesistere con stranieri sotto il dominio di un sovrano straniero. Il pluralismo etnico e nazionale è stata la regola, non l'eccezione. Per secoli la preferenza teorica per l'unità culturale ha convissuto con istituzioni dinastiche e imperiali che patrocinavano la divisione. Solo a partire dalla fine del XVIII secolo e grazie all'insorgenza del nuovo pensiero

---

[2] [J. Jay, *To The People of The State of New York*, n. 2 dei *Federalist Papers*, 31 ottobre 1787 (consultato in *The American Constitution. For and Against*, a cura di J.R. Pole, New York, Hill and Wang, 1987, p. 138). I saggi, poi conosciuti come *The Federalist Papers*, furono pubblicati fra il 1787 e il 1788 su alcuni quotidiani di New York da Alexander Hamilton, James Adams e John Jay. Tutti si firmavano con lo pseudonimo *Publius*. *The Federalist Papers* costituisce il primo e più importante documento teorico in difesa del costituzionalismo. John Jay nel 1787 era responsabile degli Affari Esteri del governo federale e dal 1789 al 1795 fu Presidente della Corte Suprema degli Stati Uniti].

democratico, la vecchia assunzione dell'omogeneità si è trasformata nell'esplicita richiesta della separazione e dell'indipendenza. A sorreggere questa richiesta c'erano due idee-forza: che il governo libero era possibile solo a condizione di avere un'unità culturale; che individui liberi avrebbero scelto se vivere con individui a loro simili, cioè se unire la comunità politica alla comunità etnica o nazionale. Senza dubbio, queste idee potevano essere sfidate. Marx e i suoi seguaci negarono con forza che ciò fosse vero, sostenendo che la concezione di similitudine era basata sulla classe piuttosto che sull'etnia. Ma quelle due idee-forza hanno avuto il sostegno di una lunga tradizione intellettuale e si sostengono felicemente l'una con l'altra. Esse sottintendono che la democrazia e l'autodeterminazione per poter essere effettivamente esercitate necessitano di un'organizzazione del potere politico tale che gli imperi siano sostituiti dagli Stati nazionali.

Nella storia, questa sostituzione è avvenuta secondo due forme diverse. La nuova politica nazionalista si espresse prima di tutto nella richiesta di unificare popoli divisi tra vecchi imperi e una varietà di piccoli principati: questo fu il caso dei tedeschi, degli italiani, degli slavi. I leader nazionalisti in un primo tempo tendevano a larghe entità statali e a una larga definizione di omogeneità culturale (pan-tedesca o pan-slavica). La Jugoslavia e la Cecoslovacchia sono i prodotti di questo primo nazionalismo, un nazionalismo che, benché intenzionato a frantumare gli imperi, rappresentava ancora una politica di composizione, non di divisione. Il sionismo «unificatore» degli ebrei dell'Europa e dell'Oriente ha avuto lo stesso carattere. Gruppi sommariamente simili dovevano essere saldati insieme secondo il modello delle unificazioni prenazionalistiche della Francia e della Gran Bretagna.

Questa prima forma di costruzione nazionale non fu affatto un fallimento, ma la tendenza peculiare assunta più recentemente dal nazionalismo è stata quella di sfidare non solo i vecchi imperi, soprattutto quelli coloniali, ma anche gli Stati nazionali compositi. Né i vecchi Stati (Francia e Gran Bretagna), né quelli più recenti (Pakistan e Nigeria) sono stati risparmiati da questa sfida. Il tema oggi ricorrente è quello della secessione piuttosto che della unificazione. La società internazionale contemporanea è caratterizzata da una proliferazione di Stati, tanto che «la maggioranza dei membri dell'Onu – come ha scritto Eric Hobsbawm – è probabile che presto consista di versioni fine xx secolo delle repubbliche di Sassonia-Coburg-Gotha e Schwarzburg-Sonderhausen»[3]. Le importanti trasformazioni economiche hanno aperto la strada a questo processo: le regole della pratica politica sono radicalmente cambiate dal xix secolo. Tuttavia questo processo rappresenta anche un trionfo straordinario del principio di autodeterminazione, con l'identità collettiva che sempre di più si definisce in forme che riflettono l'effettiva differenza dell'umanità.

Confrontato con questa differenza, ogni potenziale Stato-nazione si presenta come l'espressione di una forma antica o moderna di composizione. L'autodeterminazione sembra essere un principio dall'applicabilità infinita e l'emergenza di nuovi Stati un processo dalla durata indefinita. Se il processo deve essere concluso in un breve lasso di tempo, è difficile che ciò possa avvenire negando il principio – che oggi sembra essere politicamente non negabile –, semmai si tratterà di somministrarlo per piccole dosi. Così, l'autonomia

[3] [E. Hobsbawm, *Some Reflections on «The Break-up of Britain»*, in «New left review», n. 105, 1977, p. 6].

può essere un'alternativa all'indipendenza, una via per rendere meno rigidi, senza romperli, i legami degli Stati plurinazionali. Invece di optare per la sovranità, i gruppi etnici e nazionali potrebbero optare per la decentralizzazione e la federazione: queste forme non sono incompatibili con l'autodeterminazione e possono essere appropriate specialmente per gruppi che condividono alcune ma non tutte le caratteristiche di una distinta comunità storica e che mantengono una forte base territoriale. Non è certo se gli Stati multinazionali possano sopravvivere come federazioni, ma non è improbabile che possano sopravvivere in altri modi; non lo è se essi si impegnano (anche se solo formalmente) per un governo democratico o per qualche sorta di egualitarismo sociale.

Democrazia e eguaglianza hanno dimostrato di essere potenti dissolutori. Nei vecchi imperi le élites delle nazioni conquistate tendevano ad assimilarsi alla cultura dominante. Essi facevano educare i figli dai loro conquistatori; imparavano una lingua straniera; giungevano a considerare la loro stessa cultura come parrocchiale e inferiore. Ma le donne e gli uomini comuni non si assimilavano, e quando si mobilitavano in un primo momento lo facevano per motivi economici e politici, ma poi finivano con lo stringere tra loro solidi legami nazionali ed etnici. La mobilitazione generava conflitto non solo con i gruppi dominanti, ma anche con altri gruppi subalterni. Per secoli, differenti nazioni hanno vissuto in pace fianco a fianco sotto il dominio imperiale. Ora che quelle nazioni devono autogovernarsi, scoprono che possono farlo (pacificamente) solo fra di loro, adattando i confini politici ai confini delle culture.

I concetti della tradizione teorica si sono così dimostrati giusti. L'autogoverno ha teso a produrre comunità relativamente omogenee e ha avuto pieno successo solo all'interno di tali comunità. La grande eccezione a questa regola è costituita dagli Stati Uniti d'America. Nello stesso tempo, l'argomento marxista, la sfida più significativa al pensiero tradizionale, si è dimostrato sbagliato. In nessun luogo la solidarietà di classe ha cancellato le identità nazionali o i gruppi etnici. Oggi, l'Unione Sovietica non sembra essere molto diversa dall'impero dei Romanov: uno Stato multinazionale tenuto insieme principalmente dalla forza. È probabile che, se la «questione nazionale» fosse stata risolta, se l'esistenza e il continuo sviluppo delle comunità storiche fossero stati garantiti (come Lenin sosteneva), avrebbero potuto emergere nuove forme di alleanza e di cooperazione. Ma per il momento si deve dire che dovunque c'è la libertà politica la politica segue le nazionalità. Il pluralismo nel suo significato forte – *uno Stato, più nazioni* – è possibile solo nei regimi tirannici.

L'eccezionalità americana

Eccetto che negli Stati Uniti. Anche qui ci sono, certamente, popoli conquistati e incorporati – gli indiani e i messicani – che si sono opposti all'espansione americana, e ci sono stati popoli trasportati a forza – i neri – portati in questo paese come schiavi e soggetti a una dura e continua repressione. Ma il sistema pluralistico, all'interno del quale questi gruppi hanno solo recentemente cominciato a organizzarsi e ad agire, non è principalmente il prodotto della loro esperienza. Oggi, gli Stati Uniti possono essere compresi solo come una società multirazziale. Ma le minoranze razziali sono state politicamente impotenti e socialmente invisibili per tutto il tempo in cui il pluralismo americano stava prendendo forma; e questa forma non è stata determinata né dalla loro presenza né dalla loro repressione.

A differenza del Vecchio Mondo, dove il pluralismo ha avuto le sue origini nelle conquiste e nelle alleanze dinastiche, nel Nuovo Mondo il pluralismo ha avuto origine con l'immigrazione di individui e di famiglie. La stragrande maggioranza della popolazione americana è formata da individui assommati ad individui, arrivati l'uno dopo l'altro nelle grandi città portuali. Benché i confini del nuovo paese, come quelli di ogni altro paese, fossero stati determinati dalle guerre e dalla diplomazia, fu l'immigrazione a determinare il carattere dei suoi abitanti – e a falsificare la versione della loro unità data da John Jay. Gli Stati Uniti non erano un impero; il loro pluralismo era quello di una società di immigrati; ciò significa che la nazionalità e l'etnia non hanno mai acquistato una stabile base territoriale. Gente diversa si accumulava in diverse parti del paese; ma ciascuno di loro lo fece per scelta individuale, ciascuno si aggregò per compagnia, senza conservare alcuno speciale legame con la terra nella quale aveva vissuto. La richiesta dell'autoderminazione invocata nel Vecchio Mondo qui non ha avuto alcuna eco: gli immigrati (ad eccezione degli schiavi ncri) erano venuti qui volontariamente e non dovevano essere forzati a stare (infatti, molti di loro ritornarono a casa ogni anno); non avevano dunque nessuna ragione per attuare una politica secessionista. L'unico significativo momento secessionista nella storia degli Stati Uniti non produsse passioni nazionalistiche come quelle che si erano manifestate nelle guerre europee, benché riguardasse una regione con una particolare cultura.

Ma se gli immigrati diventarono americani uno

dopo l'altro non appena arrivarono e si stabilirono, essi lo diventarono solo in un senso politico: diventarono cittadini degli Stati Uniti. Sotto altri rispetti, cioè culturalmente, religiosamente, e per un certo tempo anche linguisticamente, essi rimasero tedeschi e svedesi, polacchi, ebrei e italiani. Per i primi immigrati, gli anglo-americani, la politica comportava ancora la nazionalità, perché essi erano una nazione e fondarono uno Stato. Ma con l'arrivo dei nuovi immigrati, il processo si rovesciò. Siccome erano cittadini di uno Stato – così si pensava generalmente – essi sarebbero diventati un popolo. La nazionalità avrebbe seguito la politica; e probabilmente fu così nel passato, quando si formarono i popoli del mondo moderno. Tuttavia, per un periodo, forse per un lungo periodo, gli Stati Uniti saranno un paese composto da molti popoli che dividono solo la residenza e la cittadinanza senza avere una storia o una cultura comuni.

In tali circostanze, l'unica emozione che contribuiva all'unità era il patriottismo. Di qui, gli sforzi succedutisi tra la fine del secolo scorso e l'inizio di questo per intensificare il sentimento patriottico, per fare della cittadinanza una religione. «La cabina elettorale è il tempio delle istituzioni americane», scrisse nel 1900 David Brewer, Giudice della Corte Suprema. «Nessuna singola tribù o famiglia sceglie di assistere al sacro fuoco che brucia sui suoi altari [...]. Ciascuno di noi è un prete»[4]. La crescita delle consorterie politiche su base etnica e il voto per interessi[5], tuttavia,

[4] [D.J. Brewer, *American Citizenship*, New Haven, Yale University Press, 1902, p. 79].

[5] [Il termine *bloc voting*, usato da Walzer, designa l'alleanza parlamentare, o di voto, di un gruppo di rappresentanti a difesa di determinati interessi (per esempio di quelli industriali o agricoli, di un gruppo razziale o di un gruppo nazionale), a prescindere dai partiti di appartenenza].

devono aver trasformato il tempio in una conventicola di sette rumorose. Pochi credevano che la politica fosse un terreno sufficiente per l'unità nazionale. Il patriottismo fu essenzialmente come un «tenere la posizione» in attesa che il paese maturasse una più forte solidarietà nazionalistica. Sia che il processo di americanizzazione fosse descritto come una graduale assimilazione alla cultura anglo-americana o come la creazione di una cultura essenzialmente nuova nel crogiuolo della cittadinanza, in ogni caso il risultato apparve come necessario e inevitabile: un giorno gli immigrati avrebbero costituito un singolo popolo. Questo era il profondo significato dello slogan, *E pluribus unum* inscritto nel contesto dell'immigrazione di massa. L'unica alternativa, come insegnava la storia del Vecchio Mondo, sarebbe stata la divisione, la ribellione, la repressione.

La paura della divisione, o semplicemente della differenza, generò periodicamente scoppi di sentimenti anti-immigrati fra i primi immigrati e i loro discendenti. La restrizione dell'immigrazione fu un obiettivo delle campagne dei «nativisti»; l'altro obiettivo fu una più rapida americanizzazione degli «stranieri» già insediati. Ma cosa comportò l'americanizzazione? Molti degli stranieri erano già cittadini naturalizzati. Ora, essi dovevano essere naturalizzati di nuovo, non politicamente, ma culturalmente. È necessario distinguere questa seconda naturalizzazione dalle apparentemente simili campagne tenute nei vecchi imperi europei. Per esempio, anche la russificazione era un programma culturale, ma esso si rivolgeva a comunità radicate e intatte, a nazioni che, con l'eccezione degli ebrei, abitavano terre che avevano occupato molti secoli prima. Nessuno dei popoli che dovevano diventare russi si sarebbero trovati a loro agio come cittadini di una libera Russia. Se avessero potuto scegliere, avrebbero optato per la secessione e l'indipendenza. Questo spiega perché la russificazione fu un processo tanto critico: i mezzi politici vennero impiegati per superare le differenze nazionali. E l'uso di questi mezzi provocò la prevedibile risposta democratica secondo la quale la politica deve seguire la nazionalità, non viceversa. Negli Stati Uniti, al contrario, l'americanizzazione si rivolgeva a gente più suscettibile al mutamento culturale, perché in questo caso si trattava non solo di sradicati, ma, soprattutto, di sradicati volontari. Quali che fossero state le pressioni che li avevano spinti verso il Nuovo Mondo, essi avevano comunque scelto di venirvi, mentre altri nei loro paesi d'origine avevano scelto di restare. E come un premio per la loro scelta, agli immigrati era stata offerta la cittadinanza, un dono che molti accettarono con entusiasmo. Benché i «nativisti» temessero o dicessero di temere la politica dei nuovi arrivati, di fatto gli uomini e le donne che dovevano essere americanizzati erano già, per lo meno lo erano molti di loro, patrioti americani.

A causa di queste differenze, la risposta degli immigrati alla naturalizzazione culturale fu molto diversa da quella dei loro equivalenti nel Vecchio Mondo. In molti casi essi erano accondiscendenti, pronti a rinnovarsi, anche come i «nativisti» chiedevano. Questo fu vero soprattutto nel caso della lingua: non c'è stato bisogno di un grande sforzo per far sì che i nuovi arrivati accettassero di fare della loro lingua d'origine una seconda lingua degli Stati Uniti. L'odierna vitalità dello spagnolo negli Stati del Sud-Est, benché probabilmente risulti da un flusso continuo e su larga scala di messicani, può costituire una possibile eccezione a questa regola. Se questi immigrati non si distribuiscono per tutto il paese, come hanno fatto gli altri, uno stato come il New Mexico potrebbe diventare il primo caso di conflitto linguistico negli Stati Uniti. Fino a questo momento, tuttavia, trattandosi di un paese dove si parlano molte lingue, ci sono stati davvero pochi conflitti. L'inglese è ed è sempre stato accettato come la lingua ufficiale e pubblica della repubblica americana, e nessuno ha cercato di fare di un altro idioma la base per un'autonomia o per una secessione regionale. Quando gli immigrati resistevano all'americanizzazione lottando per conservare le vecchie identità e i vecchi costumi, la loro resistenza assunse una nuova forma. Non chiedevano che la politica seguisse la nazionalità, ma, piuttosto, che la politica fosse separata dalla nazionalità – come era stata già separata dalla religione. Non era una richiesta per una liberazione nazionale, ma per il pluralismo etnico.

La pratica del pluralismo

Come generale tendenza intellettuale, nei primi anni di questo secolo il pluralismo era soprattutto una reazione contro la dottrina della sovranità. Nelle sue differenti forme – sindacalismo, associazionismo socialista, regionalista, autonomista – esso era rivolto contro il potere crescente dello Stato moderno in questioni di interesse generale. Ma il pluralismo etnico come si è sviluppato negli Stati Uniti non può con plausibilità essere caratterizzato come una ideologia antistatalista. I suoi sostenitori non sfidarono l'autorità del governo federale; non difesero i diritti degli Stati; non caddero in nessuna delle forme del corporativismo europeo. Il loro argomento centrale era che la politica degli Stati Uniti, come era allora, non richiedeva l'omogeneità culturale, perché si sosteneva con sufficiente sicurezza sulla cittadinanza democratica. Ciò che prima era stato inteso come una condizione temporanea ora era descritto come se si trattasse di una condizione permanente. Gli Stati Uniti erano, e potevano rimanere, un paese composto di numerosi popoli, una «nazione di nazionalità», come disse Horace Kallen. In effetti, questo era il destino dell'America: di conservare in un singolo Stato la diversità del Vecchio Mondo senza persecuzioni e repressioni. Non solo *Uno da molti*, ma anche *Molti in uno*.

Il marxismo è stato la prima maggiore sfida al tradizionale argomento dell'omogeneità nazionale; la seconda sfida è stata il pluralismo. Benché i primi pluralisti non fossero per nulla radicali e non invocassero mai la trasformazione della società, la loro negazione della saggezza convenzionale andava più in profondità di quella del marxismo. Infatti l'argomento marxista sostiene che il futuro stato socialista (prima di scomparire) si sorreggerà sulla solida base dell'unità proletaria. E come le altre precedenti classi dominanti, il proletariato produrrà una cultura egemone della quale la vita politica sarà solo una mera espressione. I pluralisti, da parte loro, immaginarono uno Stato non sorretto né dall'unità né dall'egemonia. Indubbiamente essi furono ingenui nel non riconoscere l'esistenza di un sistema economico e di una cultura che ne rifletteva i valori dominanti. Ma il loro argomento è importante e di vasta portata anche se lo si usa soltanto per sostenere che oltre a questa cultura comune, sovrapposto ad essa e radicalmente diversificato nel suo impatto, c'è un mondo di molteplicità etnica. L'effetto sulla teoria dello Stato è grosso modo lo stesso con o senza la comprensione del momento economico: la politica deve creare l'unità (nazionale) della quale una volta si pensava fosse uno specchio. E deve creare l'unità senza negare o reprimere la molteplicità.

I primi scrittori pluralisti – teorici come Horace Kallen e Randolph Bourne, o scrittori popolari come Louis Adamic[6] – non produssero un resoconto pienamente soddisfacente del processo creativo o della relazione in ultima analisi più desiderabile fra l'*unità* politica e la *pluralità* culturale. I loro argomenti raramente andavano oltre la descrizione infuocata o l'asserzione polemica. Poggiando notevolmente sul romanticismo del xix secolo, essi insistevano sul valore intrinseco della differenza umana e, con più o meno plausibilità e importanza, sul profondo bisogno degli esseri umani di forme di vita storicamente e comunitariamente strutturate. Ogni forma di irregimentazione, ogni forma di uniformità, era a loro estranea. Essi si erano proclamati guardiani di una società di gruppi, una società basata su famiglie stabili (a dispetto delle rotture causate dall'esperienza dell'immigrazione), unite al loro interno, capaci di sostenere e di trasmettere forti tradizioni culturali. Nello stesso tempo, la loro politica era poco più che un istintivo liberalismo. Essi erano sicuri che la libertà individuale era tutto ciò che era necessario a conservare l'identificazione col gruppo e la libera espressione dell'etnia. Avevano sorprendentemente poco da dire su come i vari gruppi potevano essere tenuti insieme in un unico ordine

---

[6] [Randolph Silliman Bourne (1886-1918), pubblicista, critico letterario e autore di studi di pedagogia e di politica. Seguace delle teorie educative di John Dewey, per il suo pacifismo radicale (si schierò contro l'ingresso degli Stati Uniti nella Prima guerra mondiale), nella vita politica e culturale del suo tempo fu un emarginato. Tra i suoi scritti, *The History of a Literary Radical*, pubblicato postumo. Louis Adamic (1899-1951), di origine jugoslava, fu giornalista, novellista e scrittore di sociologia. Si interessò in modo particolare degli immigrati americani e dei problemi relativi alla loro acculturazione. Tra le sue opere sono da ricordare, *The Native's Return* del 1934 e *My America* del 1938].

politico, su che cosa la cittadinanza poteva significare in una società pluralista, se il potere statale doveva essere usato nell'interesse dei gruppi, o quale attività sociale doveva essere assegnata o lasciata ai gruppi. Il significato pratico del pluralismo etnico è stato, ed è ancora, portato avanti faticosamente in vari campi della vita sociale e politica. Una piccola giustificazione teorica esiste per ogni risultato particolare.

Il modo migliore per capire il pluralismo è poi di considerare che cosa i suoi protagonisti hanno fatto o cercato di fare. L'auto-affermazione etnica negli Stati Uniti ha avuto una funzione equivalente alla liberazione nazionale in altre parti del mondo. Qual è il suo vero scopo? Ce ne sono tre cruciali e importanti. Prima di tutto, la difesa della etnicità contro la nazionalizzazione culturale: il pluralismo di Kallen, sviluppato in un periodo di forte agitazione in senso nativista e di persecuzione politica, è interessato principalmente a sostenere il diritto dei nuovi immigrati di costituire le loro comunità culturali e di mantenere i loro precedenti modi di vita. Nei primi anni di questo secolo Kallen si unì alla *kulturkampf* americana come difensore del permissivismo culturale. Si formino i cittadini, ma si lasci in pace la nazionalità! L'argomento, per quel poco che è stato elaborato, ha un carattere essenzialmente negativo e per questo si adatta facilmente al paradigma liberale. Ma Kallen era convinto che il principale prodotto di una società liberale non sarebbe stata l'autonomia individuale ma l'identità collettiva. Sicuramente aveva ragione, almeno parzialmente. Quante battaglie, parallele alla sua campagna intellettuale, sono state in seguito combattute nel nome di queste identità – nelle scuole, negli apparati burocratici, nelle fabbriche – contro l'americanizzazione! Molto spesso, quando l'individuo, uomo e donna, insiste nell'essere «se stesso» sta in effetti difendendo un'identità che condivide con gli altri. Certo, qualche volta soccombe e impara a conformarsi a standardizzate versioni di comportamento proprie del Nuovo Mondo. Oppure aspetta, impaurito e passivo, di avere un sostegno organizzativo: una lega contro la diffamazione, un comitato per la promozione, e così via. Quando queste organizzazioni si mettono in moto, si può facilmente vedere che la lotta è di tipo pluralistico, anche se gli argomenti giuridici e morali continuano a far centro sui diritti individuali.

La seconda funzione dell'auto-affermazione etnica ha un carattere più positivo: è celebrazione di questa o quella identità. La celebrazione è critica nei confronti di ogni movimento nazionale e etnico perché sia la conquista straniera che l'immigrazione nelle terre straniere agiscono, anche se in forme diverse, nel senso di minare la reciproca fiducia. L'immigrazione comporta un rifiuto cosciente del vecchio paese d'origine e poi, spesso, di se stessi come un prodotto del vecchio paese. Una nuova terra richiede una nuova vita, nuovi modi di vita. Ma nell'imparare i nuovi modi, l'immigrato è lento, goffo, sempliciotto, e velocemente sorpassato dai suoi figli. Egli si sente inferiore e i suoi figli gli confermano questo sentimento. Ma questo senso di inferiorità, così penoso per lui, è un disastro anche per i suoi figli: li porta alla deriva in un mondo dove non si sentono mai interamente come a casa loro. Ad un certo punto, tra loro stessi, o tra i loro figli (la seconda generazione americana) comincia un processo di recupero. La celebrazione dell'etnia è un'espressione di questo recupero. Il quale ha una forma generale e una particolare: la celebrazione della diversità stessa e poi della storia e della cultura di un gruppo particolare. La prima, va precisato, sarebbe priva di significato senza la seconda, perché mentre l'una è astratta, l'altra è concreta. Il pluralismo non ha in se stesso nessun potere di sopravvivenza; esso dipende dall'energia, dall'entusiasmo, dall'impegno dei componenti del gruppo; non può sopravvivere alla particolarità delle culture e delle fedi. Dal punto di vista dello stato liberale, la particolarità è una questione di scelta individuale, e il pluralismo non è niente di più che tollerato. Dal punto di vista dell'individuo, esso è probabilmente qualche cosa di diverso, perché gli uomini e le donne nella maggior parte dei casi «scelgono» la cultura e il credo religioso nei quali sono nati – anche se, dopo la conquista e l'immigrazione, essi devono nascere di nuovo.

La terza funzione dell'auto-affermazione etnica è quella di costruire e sostenere la comunità rinata – di creare istituzioni, di riuscire a trovare risorse, di procurare educazione e servizi di assistenza. Come nel caso della costruzione di una nazione, si tratta di un duro lavoro; ma per i gruppi etnici di una società pluralista c'è una difficoltà peculiare, perché tali gruppi non hanno un'autorità coercitiva sui loro membri. Infatti, essi non hanno membri nello stesso senso in cui gli Stati hanno cittadini: essi non hanno una popolazione garantita. Benché siano comunità storiche, devono funzionare come associazioni volontarie. Devono fare dell'etnicità una causa, come il proibizionismo o il suffragio universale; devono persuadere la gente a «etnicizzarsi» piuttosto che ad americanizzarsi. I difensori dell'etnicità religiosa – tedeschi luterani, cattolici irlandesi, ebrei, e così via – hanno avuto probabilmente più successo. Ma ogni gruppo che speri di sopravvivere deve impegnarsi in una simile attività – conquistare supporto, raccogliere fondi, costruire scuole, centri per la comunità e case per anziani.

Sulla base dell'esperienza di qualche decennio, si può ragionevolmente sostenere che il pluralismo etnico è interamente compatibile con l'esistenza di una repubblica unita. Kallen avrebbe detto che ciò è semplicemente l'espressione della democrazia nella sfera della cultura. Si tratta tuttavia di un'espressione inattesa: la repubblica americana è veramente diversa da quella descritta, per esempio, da Montesquieu e da Rousseau. Essa manca di un intenso sentimento di appartenenza politica, di dedizione agli affari pubblici, cose che quegli autori avevano pensato come necessarie. «Meglio lo Stato è costituito – scriveva Rousseau – e più nell'animo dei cittadini gli affari pubblici prevalgono su quelli privati. Ci sono anche molto meno affari privati perché, dato che la somma della felicità comune contribuisce in proporzione maggiore alla felicità di ogni individuo, a costui ne resta meno da cercare nelle cure particolari»[7]. Si tratta di una descrizione irrealistica, a meno che le credenze religiose e la cultura etnica non siano intrecciate all'attività politica (come Rousseau insiste che debbano essere). Ma la descrizione certamente non si adatta alla repubblica americana, dove cultura etnica e religione sono state decisamente relegate nella sfera privata. La vita emotiva dei cittadini degli Stati Uniti è vissuta prevalentemente nel privato – il che non significa in solitudine, ma in gruppi considerevolmente più piccoli della comunità di tutti i cittadini nel loro insieme. Gli americani sono comunitari nei loro affari privati, individualisti in quelli pubblici. La società è una collezione di gruppi, lo Stato un'organizzazione di cittadini individui. E la società e lo

---

[7] [Rousseau, *Il contratto sociale*, cit., libro III, cap. XV].

Stato, benché interagiscano costantemente, sono formalmente distinti. Per avere sostegno, conforto e senso di appartenenza, gli uomini e le donne americani si rivolgono ai loro gruppi; per la libertà e la mobilità si rivolgono allo Stato.

Eppure, la partecipazione democratica spinge questi gruppi nell'arena politica dove è probabile che essi scoprano di avere interessi comuni. Perché ciò non ha causato radicali divisioni come negli imperi europei? Certamente la partecipazione democratica ha generato conflitti, qualche volta anche gravi, ma sempre dentro i limiti stabiliti dal carattere non territoriale e socialmente non determinato delle comunità degli immigrati e dal deciso divorzio tra Stato ed etnicità. Nessun singolo gruppo può sperare di catturare lo Stato e di trasformarlo in uno Stato-nazione. I membri di ogni gruppo sono cittadini solo perché americani, non perché tedeschi, italiani, irlandesi o ebrei. La politica li costringe a fare alleanze e coalizioni; e la politica democratica, siccome riconosce ciascun cittadino come uguale a ciascun altro senza riguardo per l'etnia, promuove l'unità degli individui insieme alla diversità dei gruppi. Gli indiani americani e i neri sono stati prevalentemente esclusi da questa unità, e non è ancora chiaro in quali modi vi saranno portati dentro. Ma la vita politica è per principio aperta, e questa apertura è servita a diffondere le forme più radicali della competizione fra etnie. Come risultato non si è avuto un indebolimento dell'ordine politico: ma esattamente l'opposto. Benché non abbia ispirato un coinvolgimento accalorato, benché la sua politica non sia diventata una religione di massa, la repubblica si è dimostrata notevolmente stabile e il potere dello Stato col tempo è costantemente aumentato.

Verso il corporativismo?

La crescita del potere statale mette in scena un nuovo tipo di pluralismo politico. Aumentando le sue competenze, lo Stato fa per tutti i suoi cittadini ciò che i vari gruppi facevano o cercavano di fare per i loro membri: difende i loro diritti, non solo contro i nemici esterni e contro la violenza interna, ma anche contro la persecuzione, la molestia, la diffamazione, la discriminazione. Esso celebra la loro storia collettiva (americana) fissando le feste nazionali, costruendo monumenti, sacrari e musei, provvedendo ai mezzi educativi. Agisce per sostenere la loro vita collettiva, per riscuotere le tasse e procurare a chi ne ha bisogno servizi assistenziali. Lo Stato moderno nazionalizza l'attività collettiva e più energicamente lo fa più tasse riscuote, più servizi procura, e più difficile diventa per i gruppi etnici agire per loro conto. Il *welfare state* riduce la filantropia privata, soprattutto quella che era organizzata all'interno delle comunità etniche; rende più difficile sostenere scuole private e parrocchiali; erode la forza delle istituzioni culturali.

Tutto ciò è giustificato, più che giustificato, dal fatto che i vari gruppi erano radicalmente diseguali nella forza e capacità di procurare i servizi ai loro membri. Inoltre, il raggio d'azione delle comunità etniche era ineguale e incompleto. Molti americani non si sono mai rivolti a nessun gruppo particolare quando avevano bisogno di servizi, ma si sono rivolti allo Stato. La questione non è che i dipendenti dello Stato hanno invaso le sfere dell'assistenza e della cultura; ma che ad essi si sono rivolti coloro che erano cittadini svantaggiati o oppressi o assimilati. Ma, si dice, il pluralismo non può sopravvivere se i gruppi etnici e gli individui non partecipano direttamente ai benefici del potere statale. Una volta ancora, la politica deve seguire l'etnia, riconoscere e sostenere le strutture delle comunità.

Cosa significa tutto ciò? Prima di tutto, che lo Stato deve difendere i diritti delle collettività tanto quanto quelli degli individui; in secondo luogo, che lo Stato deve estendere le sue celebrazioni ufficiali fino ad includere non solo la sua propria storia, ma anche la storia di tutti i popoli che costituiscono il popolo americano; in terzo luogo, che lo Stato deve destinare gli introiti fiscali alle comunità etniche per aiutarle a finanziare un'istruzione bilingue e biculturale e i servizi assistenziali indirizzati ai membri dei gruppi. Se tutto questo deve essere fatto, e fatto equamente, allora è necessario anche che ai gruppi etnici venga data, come diritto, una qualche specie di rappresentanza all'interno dei settori interessati dello Stato.

Si tratta di richieste di grande portata. Esse non sono state fatte oggetto di elaborazione teorica, non più di quanto lo furono da parte del primo pluralismo. Sono materia di pronunciamenti pubblici e di agitazione politica. Il loro vero significato non è ancora chiaro, ma il mondo verso il quale si dirigono è un mondo corporativizzato, dove i gruppi etnici non si organizzano più come associazioni volontarie, ma hanno alcuni ruoli politici e qualche diritto civile. C'è, tuttavia, una seria difficoltà: non si possono assegnare diritti ai gruppi se prima non sono stati assegnati ai membri. Ci deve essere una popolazione stabile con procedure per scegliere i rappresentanti prima che essi possano agire ufficialmente come rappresentanti in nome di quella data comunità. Ma negli Stati Uniti i gruppi etnici non hanno, e non hanno mai avuto, una popolazione stabile (le tribù indiane costituiscono una parziale eccezione). E, storicamente, le soluzioni corporativiste hanno funzionato solo per quei gruppi che avevano questo requisito. Infatti, esse sono state adottate solo nei casi in cui la stabilità della popolazione era garantita da un rigido dualismo, cioè quando due comunità convivevano in un singolo Stato: fiamminghi e valloni in Belgio, greci e turchi a Cipro, cristiani e mussulmani in Libano. In questi casi, la gente che non si identifica con una comunità è virtualmente sicura di identificarsi con l'altra. I casi di matrimoni misti e di stranieri sono pochi, soprattutto se le due comunità sono di antica costituzione e se sono territorialmente distinte. Problemi di identificazione sono più probabili solo nella città capitale (altri tipi di problemi comunque si manifestano, e questi esempi difficilmente incoraggiano imitazioni).

Le comunità di immigrati che si trovano negli Stati Uniti hanno un carattere radicalmente diverso. Ognuna di queste comunità ha un *centro* di partecipanti attivi, alcune hanno anche individui cosiddetti «rinati» e una molto più larga *periferia* di individui e famiglie che sono poco più che occasionali fruitori dei servizi promossi dal centro stesso. Sono comunità senza confini che vivono all'ombra di una residua massa di individui che concepiscono se stessi semplicemente come americani. Frontiere e guardiani di frontiera sono tra i primi prodotti di un vittorioso movimento di liberazione nazionale; ma il dichiararsi parte di un'etnia non porta a un simile risultato. Non c'è alcun modo per i vari gruppi di prevenire o regolare l'ingresso e l'uscita degli individui. Nemmeno può far ciò lo Stato senza nel contempo esercitare una radicale coercizione sugli individui. Lo Stato non può stabilire la popolazione dei gruppi a meno di non imporre a ciascun cittadino di scegliere un'identità etnica e di stabilire una rigida distinzione fra identità diverse, cosa che il pluralismo da solo non può fare.

È comunque possibile garantire una sorta di rappresentanza ai gruppi etnici senza chiedere ai gruppi di organizzarsi e di scegliere i loro rappresentanti. L'alternativa alla scelta interna è un sistema di quote. In altre parole, le nomine alla Corte Suprema potrebbero essere vincolate a un criterio di quote: un certo numero di neri, di ebrei, di irlandesi, di cattolici italiani e così via, deve essere nominato in un determinato tempo. Ma tra questi uomini e donne e i loro rispettivi gruppi non dovrebbe esserci nessuna relazione di tipo politico; non dovrebbero cioè essere agenti responsabili, né dovrebbero essere vincolati a rappresentare gli interessi dei membri dei loro gruppi etnici o religiosi. Essi dovrebbero essere rappresentanti semplicemente in quanto sono neri, ebrei o irlandesi e *solo* per questo; e la Corte Suprema sarebbe un corpo rappresentativo nel senso che rifletterebbe il pluralismo della società. Non si presenterebbe cioè la questione se questi membri scelti vengono dal *centro* o dalla *periferia* dei loro gruppi, o se i gruppi hanno chiaramente definito i loro confini, se hanno una vita interna ricca e così via.

Il tipo di rappresentanza dipenderebbe solo da fattori esterni (burocratici piuttosto che politici), e per questa ragione potrebbe essere esteso a tutta la società nel suo complesso. Le quote sono facili da usare anche nel caso si applichino, per esempio, alla selezione di candidati nelle università o nelle scuole professionali o all'assunzione in ogni sorta di impiego. Tali candidati non sarebbero eletti ma selezionati, benché anche in questo caso sia necessario fare riferimento a una popolazione stabile dalla quale la selezione può essere effettuata. In pratica, fino ad ora gli sforzi tesi a identificare la popolazione e a rendere possibile l'uso delle quote sono stati fatti con il supporto dello Stato solo nei confronti dei gruppi oppressi. Agli uomini e alle donne che sono stati riconosciuti come vittime della discriminazione, o ai figli e agli eredi di queste vittime, è stato accordato il diritto a certi vantaggi nei processi di selezione; in caso contrario, si dice, essi non sarebbero certamente presenti né nelle scuole, né nelle professioni, né negli impieghi. Non è qui il caso di considerare i meriti di tali procedure. Ma è importante riconoscere che la selezione per quote funziona ampiamente perché consente una sorta di uscita dalla vita del gruppo a quelle persone per le quali l'identità (etnica o religiosa) è diventata una trappola. Il suo obiettivo principale è quello di dare opportunità agli individui, non voce ai gruppi. Il sistema di quote serve a valorizzare le potenzialità degli individui, non necessariamente le risorse di una comunità etnica. Certo, la comunità è rafforzata se i nuovi acculturati prestano poi il loro servizio ai suoi membri; ma di fatto, questo succede solo in pochi casi. Molto più spesso, e generalmente, i nuovi acculturati servono solo, se servono a qualcosa, come modello di mobilità verso l'alto per altri individui del gruppo. Quando gruppi deboli o passivi si mobilitano per ottenere uno spazio nel sistema di quote, essi lo fanno per amore della mobilità stessa, che non sembra avere altra ragion d'essere una volta che è stata raggiunta.

Da un punto di vista più generale, c'è una certa tensione tra i sistemi di quote e il pluralismo etnico, perché i direttori delle scuole sono tenuti a non riconoscere le differenze interne ai gruppi. Essi non fanno che applicare un semplice calcolo matematico. Per loro sarebbe intollerabile giudicare in merito al carattere o alla qualità delle diverse culture. La tendenza del loro lavoro, dunque, è quella di riprodurre all'interno di ogni gruppo al quale le quote sono applicate le stesse astratte procedure, tanto che si tratti di istruzione scolastica che di impiego. La giustizia è una funzione che consente l'identità delle procedure fra gruppi, piuttosto che l'identità delle scelte di vita fra individui. Ma è chiaro che il pluralismo etnico non genererebbe per se stesso una tale identità. Storicamente, le specifiche culture producono sempre differenti tipi di interesse e di occupazione. Questo non per dire che il pluralismo milita necessariamente contro il principio egualitario, poiché l'eguaglianza potrebbe anche prendere la forma (i socialisti l'hanno sempre sperato) di una eguale ricompensa per diversi tipi di lavoro. Non è impossibile immaginare una società eterogenea ma egualitaria: l'eterogeneità culturale e individuale, l'eguaglianza economica e politica. Le quote puntano, invece, verso l'uniformità del gruppo, non verso l'eguaglianza degli individui. Benché sarebbe necessario per gli individui identificare se stessi (o essere identificati) come membri di un gruppo per usufruire dei benefici di un sistema di quote, queste identificazioni perderebbero progressivamente il loro significato comunitario. L'omogeneizzazione dei gruppi aprirebbe la strada all'assimilazione dei loro membri in una prevalente cultura nazionale.

Stato ed etnicità

Per strutturare la vita del gruppo, lo Stato può intervenire principalmente in due modi. Può incoraggiare o chiedere che i gruppi si organizzino in modo corporativo, assegnando alle corporazioni un ruolo politico nell'apparato statale. Si tratta di una strategia autonomista, della soluzione più vicina alla liberazione nazionale, possibile in una condizione di multietnicità. L'effetto dell'autonomia sarebbe quello di intensificare e istituzionalizzare la differenza culturale. Oppure, lo Stato può intervenire per ridurre le differenze fra i gruppi stabilendo standard uniformi o traguardi simmetrici per i loro membri. Ciascun gruppo sarebbe rappresentato in ogni settore della vita politica, sociale ed economica non attraverso forme di azione collettiva, ma secondo proporzioni eque. Si tratta propriamente di una strategia di integrazione: essa può essere applicata in una forma limitata e compensatoria a gruppi particolari (oppressi) o più generalmente a tutti i gruppi. Applicata generalmente, i suoi effetti sarebbero quelli di reprimere ogni sorta di specificità culturale, traducendo l'identità etnica in una classificazione amministrativa.

Ciò che lo Stato non può fare è di riprodurre politicamente il modello pluralista che gli immigrati e i loro figli hanno spontaneamente generato, perché quel modello è intrinsecamente fluido e indeterminato. La sua esistenza dipende dal fatto di riuscire a tenere separato ciò che lo Stato-nazione e la teoria corporativa tendono a riunire: uno Stato organizzato coercitivamente per proteggere i diritti e una società organizzata su principi volontaristici per promuovere gli interessi (inclusi quelli culturali e religiosi). I funzionari dello Stato assicurano una cornice all'interno della quale i gruppi possono crescere, ma non possono garantirne né la crescita né la sopravvivenza. Il solo modo per ottenere queste garanzie sarebbe quello di introdurre la coercizione nella società civile, trasformando i gruppi in qualche cosa di simile agli originari gruppi del Vecchio Mondo e negando l'intera esperienza dell'immigrazione: l'individualismo e la comune rinascita. Niente di simile sembra possibile nell'agenda politica americana.

La sopravvivenza e la crescita dei gruppi dipende largamente dalla vitalità dei loro *centri*. Se questa vitalità non può essere sostenuta il pluralismo non sarà che un fenomeno temporaneo, una stazione di transito lungo la strada verso il nazionalismo americano. I primi pluralisti potevano essere stati ingenui nella loro volontà di assicurare che la vitalità delle etnie avrebbe avuto una lunga vita, ma avevano sicuramente ragione quando insistevano nel dire che quella vitalità, se non doveva essere repressa dal potere statale, non pertanto poteva essere tenuta in vita artificialmente. Dall'altro lato, contro i primi pluralisti deve essere speso un argomento a favore della necessità di qualche forma di sostegno pubblico all'attività delle etnie. Si tratta di un argomento familiare all'analisi economica e che ha a che fare con il carattere dell'etnicità come bene collettivo.

La mobilità individuale è un valore speciale, ma è anche la caratteristica debolezza del pluralismo americano. È questa debolezza che consente di liberare le relazioni fra *centro* e *periferia* dei gruppi, che genera un mondo senza frontiere. In questo mondo, la vitalità del *centro* è provata dalla sua abilità a consentire agli uomini e alle donne «periferici» di dar forma alle loro identità individuali e alle loro convinzioni. Questi uomini e donne, a loro volta, vivono fuori della forza del *centro*, al quale non devono dare nulla né in termini di denaro né in termini di tempo. Essi sono consumatori di religione e di cultura, le loro vite acquistano risalto dall'appartenenza ad una comunità che non sostengono attivamente, e da una identità che non devono coltivare in prima persona. Non c'è verso di addebitare loro ciò che ricevono dal *centro*, eccetto quando ricevono specifiche forme di aiuto materiale. Ma il loro più importante guadagno può essere niente di più che un certo senso di orgoglio, un'aura di etnicità, altrimenti non disponibile. Non c'è niente di ingiusto nel loro essere consumatori. I membri che operano al *centro* (gli impegnati in prima persona) non vengono sfruttati; essi vogliono tenere la *periferia*. Consumatori di questo tipo forse sono inevitabili in una società libera.

Ma fino a quando l'etnicità esiste – fino a quando è sperimentata come bene collettivo dalla larga maggioranza dei cittadini – ha senso consentire che il denaro, quello dei contribuenti, filtri attraverso la barriera Stato/gruppo etnico (o Stato/Chiesa). Ciò è specialmente importante quando le tasse costituiscono una significativa porzione della ricchezza nazionale e quando lo Stato ha promesso, nell'interesse di tutti i suoi cittadini, di organizzare l'educazione e l'assistenza. Il filtraggio può essere fatto in una varietà di forme, attraverso l'esenzione dalle tasse, gli sconti, i sussidi, i finanziamenti finalizzati, i programmi garantiti, e così via. Quali meccanismi verranno scelti non ha importanza una volta che si è compreso che essi devono adattarsi a un sistema prossimo a quello corporativo, il quale non richiede una forma particolare di organizzazione etnica e nessuna classificazione amministrativa dei suoi membri. Probabilmente, in una società eterogenea, una equità approssimativa nella distribuzione dei fondi è assicurata dal normale funzionamento della politica democratica. Programmi di lista e coalizioni consentiranno ai gruppi etnici una rappresentanza informale nel processo allocativo dei beni e dei servizi. La politica democratica ha una notevole capacità di conciliarsi con i gruppi fino a quando tratta solo con gli individui: votanti, candidati, ricettori di servizi, contribuenti, criminali, tutti senza ufficiali etichette etniche. Non necessariamente la conciliazione produce aspre divisioni, anche se sicuramente può generare conflitti. I cittadini di un'etnia possono essere straordinariamente leali allo Stato che protegge e promuove la vita privata della comunità, se esso agisce secondo equità.

Rimane ancora la questione se questo tipo di equità, adattato ai bisogni delle comunità di immigrati, possa essere esteso con successo alle minoranze razziali che ora fanno valere le loro richieste. Il razzismo è la grande barriera che si oppone a un pluralismo pienamente sviluppato, e fino a quando esistono indiani americani e neri, e forse anche gli stessi americani messicani, noi saremo tentati da alternative anti-pluraliste di divisione corporativa e di unificazione sponsorizzata dallo Stato. Sarebbe presuntuoso insistere nel dire che queste opzioni sono folli e non autorizzate fino a che le opportunità per l'organizzazione e l'espressione culturale dei gruppi non sono egualmente possibili per tutti gli americani. Uno Stato che si dichiara per il pluralismo, tuttavia, non può fare niente di più che controllare che queste possibilità *ci siano*, non che siano effettivamente usate; e può fare ciò assicurando che tutti i cittadini, senza distinzione etnica o razziale, dividano con eguaglianza, o con sufficiente eguaglianza, le risorse della vita americana.

Oltre questo limite, la giustizia distributiva fra i gruppi è obbligata a essere relativa alla vitalità dei loro *centri* e all'impegno dei loro membri. Scarseggiando il corporativismo, lo Stato non può aiutare gruppi incapaci di, o che non vogliono, aiutare se stessi. Non può salvarli dalla americanizzazione finale. Infatti, lo Stato opera in modo tale da permettere agli individui sia la fuga (con l'assimilazione o i matrimoni misti) sia l'identità collettiva. La funzione principale dello Stato, e della politica in generale, è di rendere giustizia agli individui; e in una società pluralista l'etnicità è semplicemente una delle condizioni di base di questo sforzo. L'identificazione etnica dà significato alle vite di molti uomini e donne, ma non ha nulla a che fare con l'essere cittadini. Difendere questa distinzione ha valore anche se implica avere un mondo nel quale non c'è alcun significato garantito. In una società culturalmente omogenea può essere promossa un'identità particolare che deliberatamente fonde la cultura e la politica. Questo il governo degli Stati Uniti non può farlo. Il pluralismo è ancora un esperimento, la cui validità deve ancora essere provata contro il più antico potere (nel senso storico e teorico) dello Stato-nazione.

3. Civiltà e virtù civiche nell'America contemporanea[1]

Declino e caduta costituiscono la più comune percezione storica, anche fra gli intellettuali. È mia intenzione esaminare questa percezione nella sua forma più importante e più ricorrente nel nostro tempo. «Abbiamo fisici, matematici, chimici, astronomi, poeti, musicisti, pittori; – scriveva Rousseau nel 1750 – ma non abbiamo più cittadini»[2]. Negli Stati Uniti ci sono ancora cittadini; ma spesso si dice che il loro impegno nella comunità politica è meno forte oggi di quanto lo era in passato, che c'è stato un declino delle virtù civiche e perfino della ordinaria civiltà, un'erosione delle qualità morali e politiche che fanno di un cittadino un buon cittadino. È difficile saper come giudicare affermazioni di questo tipo, perché suggeriscono comparazioni senza specificare alcun riferimento storico. Esse sembrano derivare da una varietà di eventi e di tendenze che non hanno un carattere uniforme e non sono fra loro necessariamente connesse: l'estensione

[1] [Estratto da «Social Research», xli, fasc. 4, 1974, pp. 593-611 (successivamente ristampato nel volume miscellaneo, *Radical Principles: Reflections of an Unreconstructed Democrat*, New York, Basic Books, 1980, pp. 54-72). Il termine «civiltà» (*civility*) è qui usato come sinonimo di modi civili, cortesia e decenza].

[2] J.-J. Rousseau, *Discorso sulle scienze e le arti*, in *Scritti politici*, cit., p. 233.

della resistenza alla coscrizione durante la guerra del Vietnam, la crescita della violenza nella nostra società a partire dalla metà e dalla fine degli anni sessanta, le recenti sfide alla libertà d'insegnamento, il recente consenso alla pornografia, il declino del fervore con il quale vengono celebrate le feste nazionali, e così via.

Forse, un modo per giudicare questi (e altri) fenomeni è quello di chiederci che cosa ci aspettiamo dai cittadini – dai cittadini in generale ma anche dai cittadini americani in particolare – membri di una democrazia liberale, ciascuno dei quali rappresenta, come direbbe Rousseau, solo un duecentomilionesimo della volontà generale. Cosa ci aspettiamo da noi?

In questo saggio suggerirò un elenco più esaustivo possibile delle comuni aspettative. Attraverso il suo esame si vedrà che noi siamo proprio i cittadini che dovremmo essere, dato l'ordine sociale e politico nel quale viviamo. E se i critici della nostra cittadinanza rimarranno insoddisfatti, allora sarà opportuno chiedersi in che modo questo ordine dovrebbe essere cambiato.

Lealtà, servizio, civiltà

1. Noi ci aspettiamo un certo grado di impegno e di lealtà. Ma a che cosa? Non alla *patria*: questo concetto non ha mai catturato l'immaginazione degli americani, forse perché, fino a tempi molto recenti, tanti di noi avevano la patria in altre terre. Nemmeno alla *nazione*: l'emergenza di una nazionalità americana è stata per lungo tempo lo scopo dei nostri vari sistemi di assorbire gli immigrati; ma questo scopo si è dimostrato essere in conflitto con la pratica (e ora anche con l'ideologia) del pluralismo della nostra società. Molti di coloro che lamentano la nostra perdita di ci-

viltà non sarebbero contenti, credo, di un nazionalismo americano. Non allo *Stato* concepito astrattamente, ma a un particolare tipo di Stato: la nostra fedeltà è alla *repubblica*. Si tratta in questo caso di un tipo molto speciale di fedeltà, spogliato della connotazione mistica che esso ha nei paesi del Vecchio Mondo. In parte per necessità, in parte per scelta, noi abbiamo fondamenti più stretti. La nostra è una lealtà politica, e il carattere della nostra politica è giudaico o puritano e non si presta a nessuna ritualità. Le nostre feste nazionali sono occasioni di incontro non di cerimonie comunitarie; le nostre inaugurazioni non hanno alcun significato sacramentale. Noi non vogliamo (giustamente) fare spettacolo delle nostre celebrazioni, e per questa ragione è stato sempre impossibile adattarle ai bisogni di una società di massa. Oggi c'è un certo cinismo circa le espressioni simboliche della lealtà americana – forse perché nessuno può immaginare duecento milioni di persone celebrare simultaneamente e insieme il 4 luglio in un modo che non sia repellente alla sensibilità liberale. Sicuramente il non far pressione sui nostri cittadini è un aspetto lodevole della nostra vita pubblica.

La nostra passività al riguardo ha probabilmente qualcosa a che fare con il trionfo del secolarismo nella vita politica. Il contenuto di molte celebrazioni americane – il *Memorial Day* e il *Thanksgiving* per esempio – è o era marcatamente religioso nel carattere e deve aver perduto molta della sua risonanza quando la religione ha perduto la propria. D'altra parte, noi abbiamo sempre negato che per un cittadino americano fosse necessario possedere un credo religioso particolare, e perfino uno generale. Ora, questa negazione viene messa in questione non per la sua giustizia, ma per la sua praticabilità. Comprensibilmente, la gente è preoccupata perché si dice spesso che la lealtà, se deve essere difesa, deve essere simbolizzata ed espressa collettivamente. I simboli e le azioni appropriati, tuttavia, devono crescere spontaneamente dalla nostra vita di tutti i giorni; non possono essere inventati, evocati, tirati fuori dal cilindro di un qualche politico. Se non abbiamo tentato di sostituire il Dio cristiano con la Dea ragione come Robespierre ha cercato di fare in Francia, questo va sicuramente a nostro credito.

Ma i simboli e le azioni non crescono naturalmente, e la lealtà liberale sembra dover essere difesa in qualche altro modo – non attraverso le celebrazioni comuni ma attraverso la felicità privata, come diceva John Locke. Si dovrà avere una lealtà di tipo diverso, e forse di grado diverso, ma non c'è ragione per non pensare che non se ne debba avere il tipo e il grado richiesto da una repubblica liberale.

2. Noi ci aspettiamo che i cittadini difendano il loro paese anche a rischio della loro vita. Nel folklore americano il *minuteman* che correva alle armi quando il suo paese era in pericolo, iniziò molto tempo fa ad essere rappresentato come il cittadino modello. Ma bisogna dire che questo eroe dell'età coloniale e i suoi successori, il «popolo armato» del secolo scorso, erano essenzialmente volontari che non si erano mai trovati d'accordo con i politici della capitale e perfino con i comandanti locali nel decidere quando il paese era in pericolo. Essi rivendicavano una sorta di opinione locale che per anni è stata la disperazione dei capi militari americani[3]. Dopotutto, il fatto di correre alle armi non è di per sé un segno di virtù civica. Nell'agosto

---

[3] Cfr. M. Cunliffe, *Soldiers and Civilians: The Martial Spirit in America. 1775-1865*, Boston, Little-Brown, 1968, specialmente i capitoli 6 e 7.

1914, austriaci e tedeschi, francesi e inglesi inondarono gli uffici di arruolamento, ma non si può certo spiegare il loro entusiasmo militare riferendolo alla qualità della loro cittadinanza. Infatti, nei primi anni della storia americana, la disponibilità degli abitanti del Vecchio Mondo a morire per i loro Stati e per i loro sovrani è stata verosimilmente interpretata come un segno della loro povertà e della loro mancanza di indipendenza morale. Ciò spiega anche perché i vecchi americani odiavano la coscrizione: era ritenuta una violazione della libertà individuale; e il fatto che la loro casa venisse invasa e i giovani trascinati alla guerra era il segno di un governo tirannico. Quando nel 1814 James Monroe, poi ministro della guerra, per primo propose la coscrizione, Daniel Webster lo assicurò che il paese non l'avrebbe mai sostenuta:

Secondo me, Signore, qui sono gravemente fraintesi i sentimenti del libero popolo di questo paese. La nazione non è ancora disposta a sottomettersi alla coscrizione. Il popolo ha un sentimento troppo fresco e forte del valore della libertà civile per volerla cedere [...]. Leggi di questa natura, Signore, non possono che creare opposizione. Una forza militare non può essere costituita in questo modo, ma attraverso la forza militare. Se l'Amministrazione ha capito che non può formare un esercito senza ricorrere alla coscrizione, capirà, se si avventura in questo esperimento, che non può fare rispettare la coscrizione senza un esercito[4].

Da allora abbiamo percorso un lungo cammino, un cammino segnato da molti mutamenti sia nel mondo che ci circonda che nella nostra società. Nella nostra società i mutamenti sono stati solo graduali e, come

---

[4] Discorso al Congresso, 9 dicembre 1814, ristampato in *Conscience in America*, a cura di L. Schlissel, New York, E.P. Dutton, 1968, pp. 70-71.

aveva previsto Webster, all'insegna di una costante opposizione. Prima di biasimare la scomparsa (ma si tratta poi di una scomparsa?) della virtù civica degli americani come segno del declino, occorrerebbe ricordare quanto sia recente la coscrizione. Nel 1863, la prima legge sulla coscrizione obbligatoria incontrò una fiera resistenza – in quell'anno a New York morirono più di mille persone nel corso delle manifestazioni contro quella legge – e nel corso della Guerra Civile fu evasa in massa. La legge fu elusa di nuovo, e su larga scala, in occasione della prima guerra mondiale, soprattutto nelle zone rurali dove era più facile nascondersi. E chi può dire che i giovani che si sono imbarcati nel 1917 non stavano riaffermando i valori della vecchia America? Essi avrebbero imbracciato il loro fucile con la stessa prontezza se i «crucchi» fossero entrati nel Kentucky. Forse questa è l'unica vera prova della loro cittadinanza.

Il cittadino-soldato difende la sua terra e la sua casa e difende anche la comunità politica nella quale gli è reso possibile godere degli affetti e della casa. Il suo fervore aumenta quando questa comunità è in pericolo. Eserciti di cittadini, come quelli della Roma repubblicana o della Prima repubblica in Francia o di Israele oggi, nascono nei momenti di estremo pericolo. Una volta che il pericolo si attenua, il fervore diminuisce. Gli eserciti di grandi potenze devono reggersi su altre basi, perché le considerazioni di lungo termine che li portano a combattere qui e là, nelle terre di altri popoli, è difficile che siano in grado di evocare un forte senso del dovere fra i cittadini se questi non intravedono un pericolo reale. Forse questi cittadini hanno un obbligo a combattere in obbedienza alle leggi democraticamente approvate. Ma questo obbligo non è lo stesso di quello a cui si riferivano i pubblicisti americani quando mitizzavano la figura del *minute-man*: ha a che fare con il rispetto della legge più che con il coraggio civile o con la dedizione.

3. Noi ci aspettiamo che i cittadini obbediscano alla legge e mantengano un certo decoro nei comportamenti, un decoro che comunemente è detto civiltà. Questo termine un tempo era più direttamente connesso con le virtù civili della cittadinanza: uno dei suoi più obsoleti significati è «civile rettitudine». Ma poi è stato gradualmente usato per denotare solo le virtù sociali: disciplina, cortesia, decoro sono i sinonimi che il dizionario suggerisce, e benché sarebbe altamente desiderabile che descrivessero la nostra vita pubblica, ci orientano invece decisamente verso la sfera privata. Forse questo mutamento di significato è un segno del declino della nostra dedizione ai valori repubblicani; ma in effetti ciò accadde molto tempo fa e non ha più incidenza su di noi e sui nostri contemporanei. Per qualche tempo abbiamo pensato che *buon comportamento* fosse ciò che potevamo giustamente aspettarci da un cittadino, e la forma cruciale del buon comportamento è la quotidiana osservanza della legge. Questa aspettativa è stata delusa? Di sicuro, molti scrivono come se così fosse. Da parte mia sono propenso a credere che sbagliano, benché non per ragioni che abbiano molto a che vedere con la virtù repubblicana della cittadinanza.

Se noi potessimo misurare il grado e l'intensità dell'obbedienza alla legge – non meramente la non violazione del codice penale, ma l'interesse, l'attenzione, l'ansietà con la quale i cittadini *tendono* all'obbedienza – sono certo che saremmo in grado di registrare un deciso movimento ascendente in ogni paese industrializzato, se non altro dopo la crisi iniziale della modernizzazione. Le società contemporanee richiedono e promuovono una forma molto intensa di disciplina sociale, la quale probabilmente è più pervasiva e interiorizzata con più successo di quella che vigeva nelle società agricole o nei piccoli villaggi. Basta solo pensare alle nostre vite personali per capire l'estensione della nostra sottomissione a quella che Max Weber chiamava «autorità legal-razionale». Essa si riflette nel nostro senso del tempo, nella nostra abilità a lavorare sodo e metodicamente, nella nostra accettazione delle gerarchie burocratiche, nel nostro abituale riferimento alle leggi e ai regolamenti. Si consideri, per esempio, il fatto semplice ma sorprendente che ciascuno di noi, prima di ogni 15 aprile, compilerà con attenzione il modulo distribuito dal governo elencando dettagliatamente i guadagni e calcolando le tasse che dobbiamo agli Stati Uniti e che poi prontamente pagheremo. La medievale decima, se mai è stata una tassa realistica, era imposta socialmente; le nostre tasse sono imposte individualmente. Noi stessi siamo i calcolatori e gli esattori; il sistema fiscale non potrebbe funzionare senza la nostra coscienziosità. Sicuramente, l'imposta americana sul reddito è un trionfo della civiltà. Ci sono davvero pochi paesi nei quali questo sistema funzioni altrettanto bene. Dubito, per esempio, che esso avrebbe funzionato nell'America di Tocqueville.

Ma vorrei soffermarmi su altri due esempi della nostra relativa civiltà che parlano più direttamente delle preoccupazioni del nostro recente passato; mi riferisco alla violenza. Nel 1901, David Brewer, un giudice della Corte Suprema degli Stati Uniti, tenne una serie di letture all'Università di Yale sulla cittadinanza americana nel corso delle quali espresse la sua preoccupazione per il prevalere della giustizia dei vigilanti e della regola del linciaggio[5]. Si trattava del modo tipicamente americano di «non aspettare l'arrivo del giudice». «Questo può essere considerato – diceva Brewer – quasi come un costume degli americani». Chiaramente i nostri costumi sono cambiati; almeno a questo riguardo, dall'inizio del secolo abbiamo sviluppato più capacità di accettare la legge. Qualche volta la polizia prende la legge nelle sue proprie mani, ma sono solo i nostri vigilanti; i comuni cittadini raramente reagiscono come i vecchi americani. Questo non è il risultato dello sviluppo di una più elevata coscienza civile, ma è una questione relativa allo sviluppo della disciplina sociale; come a dire che, a dispetto della nostra cultura popolare, siamo meno inclini, meno abituati alla violenza di quanto lo fossero le prime generazioni di cittadini americani.

Siamo anche meno inclini ai tumulti. Se le statistiche del XIX secolo sono credibili, si può dire che le folle sono meno pericolose per la vita umana. Il fatto più sorprendente delle manifestazioni degli anni sessanta, a parte la sorpresa con la quale sono state accolte e per la quale la nostra storia non offre alcuna giustificazione, è che il numero delle persone che vi sono state uccise è relativamente piccolo. In tutti i casi, le rivolte un tempo erano molto più sanguinose. Ho già accennato alla «settimana di sangue» del 1863 a New York. Sembra che nella vita del tempo ci fossero più disordini e che i disordini fossero più accettati. Ecco per esempio una serie di titoli di giornali newyorkesi del 1834 : «Sanguinosi scontri. Sindaco e agenti feriti. La folla trionfante. Strade bloccate da

---

[5] Brewer, American Citizenship, cit., pp. 120 ss. Per lo stesso periodo cfr. anche J.E. Culter, Lynch-Law: An Investigation into the History of Lynching in the United States, New York, Longman-Green, 1905.

quindici mila furiosi *progressisti*. Chiamati i militari»[6].

Queste poche righe descrivono una sommossa in occasione di una campagna elettorale, un fatto comune in un'epoca nella quale le lealtà di partito erano considerevolmente più intense di quelle di oggi e con una più alta proporzione dei votanti. Il resoconto non dice che i rivoltosi o i loro leader erano estremisti o rivoluzionari. Apparentemente erano comuni cittadini. Anche le rivolte di oggi sono promosse da comuni cittadini, ma non si tratta degli equivalenti contemporanei dei progressisti, degli Orangemen o degli Ignoranti[7]. Le nostre rivolte sembrano più disorganizzate, sembrano più l'effetto di atti simultanei di individui disperati che di atti concertati in comune. Fanno più paura dei tafferugli del passato e sono anche meno pericolose. Forse questo mutamento è appropriato a una società liberale: se la civiltà è contenuta e privatizzata, anche l'inciviltà lo è.

Quest'ultimo esempio induce a pensare che ci sia una certa tensione fra civiltà e cittadinanza repubblicana. Infatti, all'inizio dell'età moderna, uno dei principali argomenti contro il repubblicanesimo era che causava disordini e tumulti. Lotte di fazioni, intrighi di partito, battaglie di strada, instabilità e sedizione: queste erano le forme naturali della vita politica presenti in quella che Thomas Hobbes ha definito «l'anarchia greca e romana», e che sarebbero esistite, egli pensava, in ogni regime simile[8]. Almeno in un senso limitato, Hobbes poteva aver ragione. Lo svi-

---

[6] Citato in Cunliffe, *Soldiers and Civilians*, cit., p. 93.

[7] [Gli «Orangemen» erano i protestanti fondamentalisti e anticattolici. La natura del partito degli Ignoranti è stata illustrata da Walzer nel primo saggio].

[8] T. Hobbes, *De Cive. Elementi filosofici sul cittadino*, a cura di Tito Magri, Roma, Editori Riuniti, 1981, l. XII, par. 3.

luppo della disciplina sociale sembra essere stato accompagnato dal declino della passione politica, in quel senso peculiare di coinvolgimento pubblico che probabilmente caratterizzò i «furiosi progressisti» del 1834 e altri americani del passato. Tornerò di nuovo sull'argomento quando affronterò il tema generale della partecipazione politica. Ma prima è necessario che mi occupi di un altro aspetto della nostra nuova forma di civiltà.

Tolleranza e partecipazione

4. Noi ci aspettiamo che i cittadini siano tolleranti fra loro. Con questa assunzione, ci avviciniamo quanto più ci è possibile a quell'«amicizia» che Aristotele pensava dovesse caratterizzare le relazioni fra i membri di una comunità politica. Dico questo perché l'amicizia è possibile solo all'interno di una città relativamente piccola e omogenea, mentre la tolleranza è infinitamente più estensibile. Una volta che alcune barriere di sentimenti e di credenze sono cadute, è facile tollerare cinque milioni di persone come tollerarne cinque. La tolleranza è quindi una forma fondamentale di civiltà in tutte le società moderne, soprattutto in quella americana. Ma questo risultato non è facile da raggiungere. Molta della violenza che segna la storia americana è stata l'opera di uomini e di donne che resistevano all'avanzata della tolleranza in nome dell'una o dell'altra forma di amicizia locale o particolare, in nome di quei sistemi di gerarchia e di segregazione che in passato sono serviti a rendere possibile il pluralismo. Forse è giusto dire che la resistenza è diventata via via più debole negli anni recenti; oggi gli Stati Uniti sono una società più tollerante rispetto a ogni altro periodo della sua storia. Certo, abbiamo

bisogno di più tolleranza ancora; è come se, una volta che ci schieriamo per la tolleranza, la domanda di tolleranza aumenti. La questione non è più quella di una gamma riconosciuta di dissenso religioso e politico, ma dei margini che vanno oltre quella gamma. Oggi anche i confini sono più sicuri; molta più gente vive oggi con meno paura di essere pubblicamente molestata o di subire pressione sociale. Tuttavia è proprio questa gente che sembra costituire il nostro problema, cioè che ci porta ad essere preoccupati per il futuro della virtù civica. Un fatto curioso e rivelatore, perché proprio l'esistenza di questa gente è un segno del nostro grado di civiltà.

Il problema è che molti americani tollerano (più o meno) facilmente le differenze razziali e religiose, e perfino quelle politiche, mentre trovano veramente difficile tollerare la devianza sessuale e gli stili di vita controcorrente. Forse, in futuro, questa difficoltà verrà ricordata solo come un momento transitorio nel sofferto sviluppo di una società aperta. Ma per il momento non è così; ora questa difficoltà è sentita in maniera molto più forte, tanto che gli intellettuali parlano della fine della civilizzazione, della perdita di ogni coerenza, del compimento di questo o quell'incubo modernista. Perché, essi dicono, sicuramente la società riposa su *alcuni* valori condivisi, richiede una certa coesione spirituale, anche se di carattere limitato. E la devozione alla morale del *laissez-faire* non produce alcuna coesione. Anzi, essa mina alla radice proprio la base della comunità, perché l'etica della tolleranza ci porta ad accettare pacificamente ogni forma di rifiuto di ciò che è comune. In questo modo noi andiamo alla deriva; proprio attraverso la nostra accettazione delle altrui differenze perdiamo il senso dell'affinità e della solidarietà.

Questo è indubbiamente un'esagerazione, perché è vero che noi coesistiamo non solo in quanto protestanti, cattolici ed ebrei, bianchi e neri, ma anche come avventisti del settimo giorno, buddisti, e mussulmani neri, come *birchers*[9] e trotzkisti, come membri di gruppi sessuali di ogni sorta, come omo o eterosessuali. E non è una cosa da poco il fatto che siamo riusciti a convivere pacificamente con tutte queste diversità, perché l'unica alternativa, se la storia è in grado di darci una qualche lezione, sarebbe la crudeltà e la repressione. Il liberalismo può estendere le nostre differenze nella misura in cui estende il confine della differenza permissibile, ma esso genera anche un modello di accomodamento a cui dobbiamo riconoscere valore. Sarebbe tuttavia sciocco attribuirgli valore senza notare che, come altre forme di civiltà, questo modello di accomodamento è antitetico all'attivismo politico. Esso tende a separare la politica dal conflitto dei gruppi, a promuovere fra i cittadini una generale indifferenza verso le opinioni degli altri, a congelare gli intolleranti fuori della vita pubblica (essi sono, per esempio, rappresentati in misura sproporzionata fra coloro che votano). Fa da barriera contro le trasformazioni individuali e i nuovi tipi di impegno che potrebbero generare modelli di scontro e di conflitto più aperti. Lavora in favore della pacificazione politica; rende la politica meno pericolosa e meno interessante. Eppure le nostre nozioni di cittadinanza ci portano proprio a chiedere che i cittadini *si interessino* di politica.

[9] [Membri della setta intitolata a John Birck e fondata nel 1958 da elementi ultraconservatori e militanti anticomunisti. John Birck era un ufficiale dell'aviazione americana; fu ucciso dai comunisti cinesi nel 1945 e ricordato come il primo caduto della Guerra fredda].

5. Noi ci aspettiamo che i cittadini partecipino attivamente alla vita politica. Il repubblicanesimo è una forma di autogoverno collettivo e il suo successo richiede per lo meno che un largo numero di cittadini voti e che un più piccolo numero militi nei partiti e nei movimenti, che partecipi alle assemblee e alle manifestazioni. Non vi è dubbio che una tale attività sia in parte legata a interessi personali, ma ogni stabile impegno deve probabilmente anche essere basato, e nei fatti generalmente lo è, su qualche nozione di bene pubblico. È dunque una attività «virtuosa»; l'interesse per problemi che riguardano il bene pubblico e la devozione a cause comuni sono i segni-chiave della virtù civile.

Votare è la forma minima di una condotta virtuosa, ma è anche la più facile da misurare, e se l'assumiamo come un indicatore utile possiamo parlare con una certa precisione del carattere della nostra cittadinanza. La partecipazione alle elezioni, come ha mostrato Walter Dean Burnham, era molto alta nel secolo scorso, non solo per le elezioni presidenziali, ma anche per il rinnovo del parlamento e dei governi locali[10]. Qualcosa come i quattro quinti degli aventi diritto al voto andavano regolarmente a votare. «Il sistema politico americano del XIX secolo – scrive Burnham – era senza confronto il più profondamente democratico di ogni altro del mondo». Un profondo declino cominciò intorno al 1896 e continuò per tutti gli anni venti del Novecento, quando il numero degli aventi diritto al voto che votavano scese intorno ai due quinti. Il livello di partecipazione crebbe negli anni trenta, si stabiliz-

[10] W.D. Burnham, *The Changing Shape of the American Political Universe*, in «The American Political Science Review», LIX, 1965, pp. 7-28.

zò, crebbe di nuovo negli anni cinquanta, si stabilizzò nuovamente, senza tuttavia mai raggiungere le cifre dei decenni precedenti. Oggi, la percentuale dei cittadini americani che regolarmente non partecipa alle elezioni è raddoppiata rispetto a quella degli anni novanta del secolo scorso. Guardando queste cifre, dunque, pare che come cittadini noi oggi siamo meno virtuosi degli americani dell'Ottocento, meno interessati alle questioni pubbliche.

Le ragioni di questo declino non sono facili da chiarire. Burnham suggerisce che esso può avere a che fare con il finale consolidamento del potere da parte delle nuove élites industriali. Fra i membri della nuova classe operaia o fra quei contadini che erano stati la spina dorsale del movimento populista, il trionfo della burocrazia corporativa non facilitò certo la politica della partecipazione. Alcuni lavoratori si orientarono verso il socialismo (Debs prese un milione di voti nel 1912)[11], ma molti di più si ritirarono completamente dalla politica. Questi diventarono abituali non-votanti, almeno fino a quando la Cio[12] negli anni trenta non riportò molti di loro alla partecipazione elettorale. Se tale resoconto è esatto – ma altri resoconti sono possibili – allora questo fenomeno può essere visto come una risposta razionale a un certo tipo di mutamento sociale. Senza dubbio esso è stato anche funzionale al sistema sociale nel suo insieme. Il declino della partecipazione durante un periodo di crescente eterogeneità e di rapida urbanizzazione probabilmente aiutò lo

---

[11] [Eugene V. Debs (1856-1926), leader e ideologo del socialismo americano, nel giugno 1918 fu incarcerato per la sua opposizione alla guerra. Ciò gli procurò enorme popolarità e l'accusa di traditore da parte di Woodrow Wilson. Cfr. R. Ginger, *Eugene V. Debs: A Biography*, New York, Collier Books, 1962].

[12] [Confederazione dei sindacati dell'industria].

stabilizzarsi di modelli emergenti di rispetto della legge e di tolleranza. Certamente, la società americana sarebbe stata molto più turbolenta se i nuovi immigrati, i nuovi inurbati e i lavoratori dell'industria fossero stati attivamente coinvolti nella politica. Questo non per sostenere che questi soggetti non dovevano essere coinvolti, ma solo per dire che coloro che assegnano un alto valore alla civiltà non dovrebbero poi lamentare la perdita delle virtù civili.

Uno studio recente sui comportamenti politici più «difficili» del votare (sottoscrizioni, partecipazione alle assemblee, iscrizione alle organizzazioni) sostiene che nel corso degli anni sessanta c'è stato un considerevole aumento di partecipazione politica[13]. E ciò, del resto, non sorprende, perché questo aumento coincise con un periodo di lotte e di dissenso che fu probabilmente sia una causa che un effetto. Qualcuno potrebbe aver guardato gli eventi di quegli anni con preoccupazione per la perdita di civiltà o con soddisfazione per la rinascita delle virtù civili. La connessione fra le due è abbastanza chiara: la gente è mobilitata per ragioni politiche, è pronta a impegnarsi personalmente, a fare sacrifici e ad assumersi i rischi che l'impegno richiede solo quando questioni pubbliche significative sono ingrandite da agitatori e organizzatori di movimenti e di partiti e costituiscono l'occasione per promuovere conflitti. Non è necessario che i conflitti siano violenti; la violenza attira più spesso spettatori che partecipanti. Ma se le questioni hanno significato, se il conflitto è serio, la violenza resta sempre una possibilità. Il solo modo per evitare questa possibilità è o

[13] S. Verba-N.H. Nie, *Partecipation in America: Political Democracy and Social Equality*, New York, Harper & Row, 1972, specialmente il cap. 14.

evitare questioni significative oppure far chiarezza sul fatto che la lotta politica democratica è una *charade* i cui risultati condizioneranno la soluzione delle questioni stesse e che con la violenza il livello della partecipazione si abbassa velocemente.

I diritti civili e le agitazioni contro la guerra del Vietnam negli anni sessanta dimostrano che negli Stati Uniti ci sono ancora cittadini impegnati. Ma l'attività prodotta da quei movimenti ha finito per essere evanescente, e non ha lasciato dietro di sé nemmeno un residuo di organizzazione, nessuna base per un duraturo processo di partecipazione politica. Forse questo è accaduto perché non abbastanza gente si era impegnata. L'umore nazionale, se si considera il silenzio della maggioranza silenziosa, è tollerante e passivo; la stessa tolleranza e la stessa passività con la quale nel passato si reagì al proibizionismo, alle *suffragettes* e perfino ai socialisti e ai comunisti degli anni trenta: cioè non ci sono richieste di repressioni massicce e non c'è un maggior desiderio di coinvolgimento politico. È anche importante il fatto, credo, che i due movimenti degli anni sessanta (per i diritti civili e contro la guerra del Vietnam) non si siano legati in maniera stabile tra loro o con i partiti esistenti. Invece di rafforzare le lealtà di partito, essi possono avere invece contribuito alla progressiva erosione dei partiti. Se è così, anche i livelli della partecipazione elettorale probabilmente cadranno nei prossimi anni, perché i partiti sono il mezzo cruciale dell'attivismo politico. Questi due fallimenti – nel mobilitare il supporto delle masse e nel legarsi ai partiti esistenti – può forse suggerire l'immagine della vita politica dell'America di oggi. Per molti dei nostri cittadini la politica non è una vocazione. Essi pensano che votare sia un dovere, ma non hanno un profondo interesse per il partito o per un'idea politica, e solo la metà di loro si prende il disturbo di andare a votare. Oltre a ciò, essi sono immersi nei loro affari privati e devoti all'ordine e al decoro del loro spazio privato. Benché siano tolleranti, fino a un certo punto, verso gli attivisti politici, considerano la politica come un'intrusione e resistono facilmente alla tentazione di scendere nell'arena. Questo rende difficile la vita di quel piccolo numero di cittadini che a volte si sentono toccati da questioni pubbliche e che cercano di trascinare i loro concittadini. Ciò può aiutare a spiegare la qualità frenetica del loro zelo e perché alcuni di loro cadono, nei casi estremi, nella depressione e nella follia. Le strutture istituzionali e l'impegno di massa necessario a sostenere la virtù civica nell'America di oggi semplicemente non esistono.

La politica della partecipazione

Gli ideali di cittadinanza oggi non costituiscono un insieme coerente. Il cittadino riceve, per così dire, istruzioni tra loro non coerenti. Patriottismo, civiltà, tolleranza e attivismo politico lo tirano in differenti direzioni. Il primo e l'ultimo richiedono una sorta di zelo – cioè richiedono sia la passione che la convinzione – e stimolano all'eccitamento e al tumulto nella vita pubblica. Si dice spesso che le peggiori guerre sono quelle civili perché sono combattute tra fratelli. Qualcosa di simile si può dire a proposito della politica repubblicana, perché essa si basa su una fede condivisa e spesso è molto più amara e divisiva della politica esistente in altri regimi. Civiltà e tolleranza servono a ridurre la tensione, ma contemporaneamente indeboliscono l'impegno. Incoraggiano la gente a considerare i loro interessi come frammentati, diversi e privati;

militano per la quiete e la cittadinanza passiva, per la non intromissione nelle faccende degli altri o il non assoggettamento di se stessi alla disciplina di un credo o di un partito. Non intendo sostenere che dobbiamo fare scelte assolute tra l'una e l'altra forma di vita politica. C'è e ci sarà sempre una qualche forma di equilibrio fra questi opposti. Ma nel corso degli anni la bilancia si è spostata: mi sembra che oggi noi siamo più civili e meno civicamente virtuosi degli americani di un tempo. Il nuovo equilibrio è di tipo liberale, e non vi è dubbio che esso si adatti bene al tipo e alla complessità della società moderna e della forma di organizzazione economica che si è sviluppata negli Stati Uniti in questo secolo. Ciò che si è avuto non è stato un declino e una caduta, ma il risultato dell'azione dei valori liberali – individualismo, secolarismo, tolleranza – e nello stesso tempo un aggiustamento alle domande della modernità capitalista.

La nuova cittadinanza, comunque, lascia molti americani insoddisfatti. Il liberalismo, anche nella sua versione meno dura, è una politica difficile perché offre veramente poche gratificazioni emotive. Lo Stato liberale non è una casa per i suoi cittadini perché manca di calore e di intimità. E questa disaffezione contemporanea prende la forma di un anelito per la comunità politica, per una affermazione appassionata, per un patriottismo esplicito. Si tratta di desideri pericolosi perché non possono immediatamente adattarsi al mondo liberale. Ci prospettano una politica che personalmente trovo non attraente e perfino pericolosa: uno sforzo di volontà per costruire la coesione sociale e un entusiasmo politico che opera dall'alto attraverso l'uso del potere dello Stato. Immaginiamo un leader carismatico che parli dei valori e dei fini dell'America, che faccia la guerra alla pornografia e alla devianza sessuale (e poi alla devianza sociale e politica), che stabilisca il giuramento di fedeltà e nuove cerimonie pubbliche, che chiami a raccolta il popolo per qualche crisi reale e immaginaria. È difficile immaginare questa prospettiva senza una crisi; ma, data una situazione di crisi, non potrebbe essere genuinamente seducente per gli uomini e le donne interrompere la loro vita quotidiana, sentirsi un poco legati ai loro vicini e al passato o al futuro della loro repubblica? Offrirebbe solidarietà in un tempo difficile, mentre la dura verità dell'individualismo, del secolarismo e della tolleranza, sta nel fatto che essi rendono la solidarietà veramente difficile. Il riconoscimento di questa verità aiuta a spiegare, mi sembra, la graduale inclinazione di alcuni intellettuali americani verso una forma di conservatorismo della comunità. Il nauseante dibattito di qualche anno fa sui nostri «scopi nazionali» (una nazione liberale non può avere fini collettivi) e il nuovo interesse per la censura, entrambi questi fenomeni rivelano il desiderio di modellare i cittadini secondo uno stampo comune e di elevare le loro virtù.

Anche ammettendo che questi obiettivi siano giusti, è tuttavia sbagliato il modo di conseguirli. Si comincia dalla parte sbagliata della bilancia, con un attacco all'eterogeneità della società liberale; si mettono in pericolo tutte le nostre (varie) credenze, tutti i nostri (diversi) valori e modi di vita. Io vorrei suggerire di cominciare dall'altra parte, cioè espandendo le possibilità di una politica della partecipazione. Nel mondo liberale il sentimento patriottico e la partecipazione politica dipendono l'uno dall'altra in un modo che mi sembra speciale. Per Rousseau e per i repubblicani classici questi due momenti dipendevano e potevano dipendere solo dall'unità sociale, religiosa e culturale. Erano l'espressione politica di un popolo omogeneo. Si potrebbe dire che per loro la cittadinanza era possibile solo dove era meno necessaria, dove la politica non era niente più che l'estensione nello spazio pubblico di una vita comune che cominciava fuori di esso. In tali condizioni, come ha scritto John Stuart Mill a proposito delle antiche repubbliche e della Svizzera, il patriottismo è facile: è una «passione che cresce spontanea»[14]. Ma oggi, la società, la religione e la cultura sono pluraliste nella forma; non c'è una vita comune fuori dello spazio pubblico e il patriottismo è meno spontaneo. La sola cosa che possiamo condividere tra noi è la repubblica stessa, gli affari del governo. Solo se condividiamo questo noi oggi siamo *concittadini*. Senza questo, siamo uomini e donne privati, radicalmente disgiunti, confinati in una sfera di esistenza che, per quanto ricca possa essere in una società liberale, non potrà mai soddisfare il nostro desiderio di sforzo cooperativo, di *amour sociale*, di cause e di realizzazioni pubbliche.

Fra gente come noi, solo la politica potrebbe sostenere una comunità di patrioti. Non so se una tale comunità sia possibile. A giudicare dalla teoria e dalla pratica delle repubbliche classiche, la sua creazione sembra essere molto improbabile: come può svilupparsi una comune cittadinanza senza qualche cosa di comune – senza solidarietà etnica, senza una religione stabilita, senza una tradizione culturale unificata? Quando sostenevo che la bilancia contemporanea della civiltà e della virtù civica è appropriata alla società liberale, stavo sviluppando l'argomento classico in difesa della connessione della società e dello Stato, della

---

[14] J. Stuart Mill, *M. de Tocqueville on «Democracy in America»*, in *The Philosophy of John Stuart Mill*, a cura di M. Cohen, New York, Modern Library, 1961, p. 158.

vita quotidiana e dell'impegno politico. Non intendevo, tuttavia, portare un argomento deterministico. Ci si può sempre spingere fino ai limiti del dovuto; si può sempre agire in maniera non appropriata. E non è implausibile sostenere che le circostanze sociali, come per esempio la fortuna di Machiavelli, siano l'arbitro della metà soltanto di ciò che facciamo. Date la società e la cultura liberali, alcuni tipi di dedizione possono trovarsi oltre le nostre possibilità di realizzazione. Ma ciò non comporta concludere che non possiamo, per così dire, estendere il tempo e lo spazio nel quale viviamo come cittadini. Questo è il principio centrale del socialismo democratico: che cioè la politica possa essere aperta, che il livello della partecipazione possa essere incrementato in maniera significativa, che il processo decisionale possa essere realmente condiviso, senza un attacco su larga scala alla vita privata e ai valori liberali, senza un risveglio religioso o una rivoluzione culturale. Ciò che è necessario è l'espansione della sfera pubblica. Non voglio con questo patrocinare la crescita del potere dello Stato – che comunque si avrà, perché uno Stato forte è la necessità e il naturale antidoto della disintegrazione liberale – ma una «politicità» dello Stato, una devoluzione del potere dello Stato nelle mani dei comuni cittadini.

Sono richiesti tre tipi di espansione, i quali si aggiungono a un programma familiare che qui posso solo accennare brevemente: una radicale democratizzazione del governo cosicché le decisioni cruciali sulla struttura dell'economia siano chiaramente concepite come questioni pubbliche; il decentramento dell'attività di governo così da alterare la bilancia della vita politica e da far sì che aumenti il numero degli uomini e delle donne che prendono parte al processo decisionale; la creazione di partiti e di movimenti che siano in grado di operare a diversi livelli di governo e che richiedano un più alto grado di impegno individuale, come gli attuali partiti non sono in grado di fare. C'è bisogno di tutto questo se si vuole alimentare il patriottismo in una realtà che non conosce coesione sociale e culturale; c'è bisogno di quelli che Mill ha definito «mezzi artificiali», cioè «un più esteso e frequente intervento dei cittadini nella gestione degli affari pubblici»[15].

Non posso spiegare qui come un tale intervento possa essere ottenuto. Per gli scopi di questo saggio è più importante riconoscere che qualora lo si otterrà (o si cercherà di ottenerlo) si aumenterà significativamente il livello dell'intensità e della litigiosità nella nostra vita politica, e perfino il livello dell'intolleranza e dello zelo. Militanza, virtuosità, indignazione e ostilità sono cose di natura davvero politica. Gli interventi del popolo non sono come quelli dello Spirito Santo. Perché il popolo porta con sé nell'arena tutte le contraddizioni della società e della cultura liberale. E l'arena politica è in ogni caso un luogo di confronto. La politica (a differenza dell'economia) è inerentemente competitiva, e quando la competizione si ha tra larghi gruppi di cittadini piuttosto che tra favoriti del re o tra oligarchie rivali è destinata ad essere più costosa, più accesa, meno pacifica.

Eppure è solo nell'arena che possiamo sperare di trovare la solidarietà spontanea e libera. *E pluribus unum* è una promessa d'alchimista. Fuori del pluralismo liberale non c'è spazio per nessuna unità. Ma c'è

---

[15] *Ibid.*, p. 159. Ritengo che questi «mezzi artificiali» includano tanto l'economia quanto l'autogoverno politico. Non penso di forzare troppo il significato datogli da Mill. Per lui il patriottismo naturale era quello generato dalle qualità possedute dalla società senza bisogno di crearle *ex novo*; mentre il patriottismo artificiale è frutto di un'azione cosciente.

un tipo di mutualità che è possibile anche con il conflitto, e forse solo con esso. Nell'arena i rivali politici devono parlare del bene comune, anche se contemporaneamente avanzano interessi settoriali. I cittadini imparano a chiedersi non solo che cosa li riguarda privatamente, ma anche che cos'è realmente il bene comune. Nel corso di una protratta attività politica i nemici diventano antagonisti familiari che sanno di essere interrogati sulle medesime (contraddittorie) questioni. Uomini e donne che appena tollerano le rispettive differenze, riconoscono di condividere un impegno – quello dell'arena politica e della gente che vi è coinvolta. Dopo, perfino un'elezione decisiva è un rituale di unità, non solo perché ha un unico esito, ma anche perché afferma l'esistenza dell'arena stessa, della cosa pubblica e della sovranità popolare. La politica è una scuola di lealtà attraverso la quale noi facciamo della repubblica un nostro possesso morale e giungiamo a guardarla con una sorta di reverenza. E il giorno del voto è la più importante celebrazione della repubblica. Non voglio esagerare la sacralità che un cittadino sente quando vota, ma penso che ci sia una sorta di sacralità, un senso di orgoglio, almeno quando le questioni che devono essere decise sono realmente importanti e quando l'ordine politico dipende da una scelta umana. Ci può perfino essere civiltà e cortesia nell'arena, e anche generosità, e rispetto per le regole (specialmente, come in guerra, fra professionisti e veterani), benché nella maggioranza dei casi ci si possa aspettare qualche cos'altro di più.

Dicendo questo, non faccio che ripetere un argomento portato da Lewis Coser negli anni cinquanta nel suo libro, *The Functions of Social Conflict*. L'argomento merita di essere ripetuto poiché per la maggioranza degli americani i conflitti degli anni sessanta non sembra l'abbiano confermato. Non è irrazionale riconoscere, con Coser, le «funzioni integrative di un comportamento antagonistico» e decidere, ciononostante, di vivere con un grado inferiore di integrazione[16]. Sono portato a pensare che possiamo avere civiltà e rispetto della legge senza bisogno di intensificare il patriottismo e la partecipazione. Non vi è dubbio che l'equilibrio è instabile, ma instabile sarebbe ogni altro equilibrio; dobbiamo scegliere le difficoltà con le quali dobbiamo vivere. Ciò che nelle condizioni attuali non possiamo avere e non dovremmo chiedere delle due è la virtù civica. Per questa dobbiamo creare prima una nuova politica. Ho cercato di sostenere che questa nuova politica deve essere socialista e democratica e che non deve sostituire il liberalismo della nostra società, ma stare in costante tensione con esso.

[16] L.A. Coser, *The Functions of Social Conflict*, Glencoe, Illynois, Free Press, 1956, cap. 7.

I Grilli

Volumi già pubblicati

Ferdinando Camon
Il santo assassino.
Dichiarazioni apocrife

Régis Debray
A domani, presidente
De Gaulle, la sinistra, la Francia

Luciano Cafagna
C'era una volta...
Riflessioni sul comunismo italiano

Norberto Bobbio
Una guerra giusta?
Sul conflitto del Golfo

Vittorio Strada
La questione russa
Identità e destino

Anna Borioni Massimo Pieri
Maledetta Isabella maledetto Colombo
Gli ebrei, gli indiani,
l'evangelizzazione come sterminio

Jürgen Habermas
Dopo l'utopia

Finito di stampare nel mese di marzo 1992
per conto di Marsilio Editori® in Venezia
dalla Ergon s.r.l., Ronchi dei Legionari (GO)